# Psychologie
## de
## l'expérience intérieure

Jean-Luc Hétu

# Psychologie
## de
# l'expérience intérieure

éditions du Méridien

Graphisme: Les Productions Algraph

Illustration de la couverture: Louis Pretty

ISBN 2-920417-88-6

© Les Éditions du Méridien — 1983

Dépôt légal 3e trimestre 1983 — Bibliothèque nationale du Québec

Imprimé au Canada

À ceux et celles qui m'ont confié
leurs expériences intérieures et qui
m'ont ainsi donné ce livre.

«J'ai rencontré quelques mystiques, ou, pour être plus spécifique, j'ai découvert que des gens que je connaissais déjà étaient des mystiques. Ils ne correspondaient pas à mon image toute faite: ce n'était pas des gens sortis des vieilles vies de saints ou des adeptes des drogues de la contre-culture ou de bizarres mésadaptés sociaux. Ils se présentaient au contraire comme des adultes normaux, en bonne santé et productifs — peut-être un peu plus heureux et un peu plus détendus que la plupart d'entre nous».

Andrew Greeley,
sociologue, 1975


«Notre conscience normale à l'état de veille, notre conscience rationnelle comme nous l'appelons, n'est qu'une sorte spéciale de conscience, alors que séparées d'elle par le plus mince des écrans, se trouvent des formes potentielles de conscience tout à fait différentes.
Nous pouvons passer toute notre vie sans soupçonner leur existence; mais appliquez le stimulus requis, et elles surviennent du coup dans toute leur complétude. (...) Aucune représentation de l'univers dans sa totalité ne peut être finale si on ne tient pas du tout compte de ces autres formes de conscience».

William James,
psychologue, 1902

# CHAPITRE 1

# L'expérience intérieure

Quelque part dans un pénitencier à sécurité maximum de la région montréalaise, un détenu fait un jour l'expérience suivante. Placé en isolation à cause de sa violence, il lui arrive de grimper sur son lit et de contempler le soleil couchant. La position de l'étroite fenêtre grillagée est telle qu'il doit faire porter tout le poids de son corps sur ses poignets, ses coudes et ses épaules. Ce soir-là, l'expérience est spéciale. Envahi par une paix incroyable, il demeure dans cette position fort inconfortable peut-être quinze minutes, peut-être une demi-heure, il ne sait pas. Des larmes coulent lentement sur ses joues, et le mot Dieu monte spontanément en lui.

Quand il redescend de là, il n'est plus le même homme. Lorsque le garde vient lui porter son repas, ce n'est plus de l'hostilité ni du rejet qu'il éprouve à son égard, mais il reconnaît en lui un frère. Et ce sentiment fraternel, il le ressent également à l'endroit des autres membres du personnel de la prison, de même qu'envers ses codétenus. La paix qui l'a envahi ne le quitte plus, de sorte que, n'y comprenant rien, ses camarades croient qu'il a perdu la raison. Et de fait, le changement est spectaculaire: dans ses valeurs, l'argent, le prestige, le confort, le pouvoir, ont cédé la place à la simplicité de vie, au partage, à l'attention envers les personnes. Plusieurs années après sa libération, le «miracle» dure toujours.

Quelque part en Europe, une jeune femme fait l'expérience suivante. «J'ai vingt-sept ans. Je voyage seule et je dois me rendre de Paris à Richterville, près de Zurich, par le train de nuit. Jusque-là, j'ai toujours eu un sentiment d'angoisse à voyager seule, de peur devant l'inconnu, une vague inquiétude qui se fait très forte quand je voyage la nuit.

«À deux heures du matin, je crois entendre crier le nom de la gare «Richterville» où je dois descendre et je me précipite avec mes valises. Le train repart aussitôt et je m'aperçois de mon erreur: je me retrouve dans une gare inconnue, qui est un arrêt de train plus qu'une gare d'un tout petit village dans la Suisse allemande. La gare est déserte, les lumières du village sont bien trop loin pour que je puisse m'y rendre à pied avec mes lourdes valises, et une forte angoisse me serre la poitrine. Je m'assois sur un banc pour réfléchir à mon malheur et là, je m'aperçois que la nuit est douce et les étoiles magnifiques, et je me sens soudainement envahie par une étrange et extraordinaire sensation de bien-être, de tranquillité, d'assurance, de liberté totale. Une pensée prend force: 'Je suis seule dans un endroit inconnu, personne de ma famille, ni fiancé, ni amis ni connaissances ne sait que je suis ici: quelle libération!' J'ai vécu quelques heures d'exaltation. Je venais de prendre conscience que je n'avais plus peur, que j'étais bien la nuit seule avec moi-même et que j'avais le contrôle de mes peurs (ou du moins, de certaines d'entre elles!).

«À partir de cette expérience, à chaque fois que je me sens dans une impasse ou sur le point de perdre le contrôle de moi, j'ai une envie: partir seule en voyage. Dès que je me trouve seule dans un avion ou un train, en route pour quelque destination lointaine, je retrouve le goût et la sensation de liberté de ma nuit dans la gare suisse. Je me sens tout de suite capable de me reprendre en main.»

## L'EXPÉRIENCE TOUT COURT

Avant de regarder de plus près la structure commune de ces expériences, leur fréquence et leurs effets, arrêtons-nous d'abord au concept même d'*expérience*.

Déjà ce mot fait problème, car il peut signifier deux choses différentes. Le dictionnaire Robert donne comme premier sens: «*la pratique que l'on a eue de quelque chose*». Imaginons dans ce sens une affiche disant: «On demande un opérateur de grue mécanique avec expérience.» Imaginons ensuite un candidat qui se présente en disant: «J'ai cinq ans d'expérience.» Cette personne voudrait dire par là: «Pendant cinq ans, j'ai *fait* l'expérience de ce que cela implique de faire fonctionner ce genre d'appareil, j'ai cinq ans de pratique.» Face à l'expérience de conduire une grue, le sujet a donc ici le rôle actif, c'est littéralement lui qui est «aux commandes» de son expérience.

Mais le dictionnaire donne comme deuxième sens au mot expérience «*le fait d'éprouver quelque chose*». Quelqu'un pourrait dire ici: «J'ai connu l'expérience de l'échec et de la solitude lorsque mon conjoint m'a quitté.» Il est facile de voir que le sujet n'a plus ici le rôle actif, comme tantôt, qu'il n'est plus celui qui fait, celui qui est «aux commandes». Le conjoint abandonné se retrouve au contraire dans un rôle plutôt passif ou réceptif, on pourrait dire dans le rôle de témoin plutôt que dans celui d'acteur.

Je dis: «un rôle *plutôt* passif», parce que dans les deux exemples précédents, nous avons un mélange des deux dimensions (active et passive), avec une dominante d'un côté ou de l'autre. Par exemple, l'opérateur qui «active» les commandes de la grue connaît parfois l'expérience des oscillations de la charge à cause des vents, et cette expérience, il la reçoit plus qu'il ne la provoque.

Inversement, la personne qui éprouve l'expérience de l'échec et de la solitude suite au départ de son conjoint, se voit aussi appelée à *réagir* à ces sentiments, à *faire* quelque chose pour intégrer cette expérience, et donc à devenir active elle aussi dans cette expérience.

## L'EXPÉRIENCE INTÉRIEURE

Toute expérience se situe donc quelque part sur une continuité ou sur un continuum réceptivité-activité. Qu'en est-il maintenant de l'expérience dite «intérieure»? Où devrait-on la situer sur ce continuum? Afin de répondre à cette question, essayons d'abord de préciser ce que cette expérience humaine pourrait présenter de spécifique.

Faire fonctionner une grue, c'est faire appel à des habiletés au niveau sensori-moteur, notamment des habiletés de perception visuelle d'une part, de motricité manuelle d'autre part, et enfin, de coordination entre ces deux activités.

Enseigner les mathématiques, c'est faire appel à des habiletés d'ordre cognitif d'une part (c'est-à-dire maîtriser un certain nombre d'opérations mentales), et des habiletés interpersonnelles d'autre part, notamment percevoir l'impact de ses paroles sur son interlocuteur, et ajuster par la suite son comportement verbal en fonction de l'objectif poursuivi.

Si l'on considère maintenant l'expérience intérieure, on peut se demander quelles sortes d'habiletés s'y trouvent mises en oeuvre. Aidons-nous pour ce faire d'une autre illustration constituée de deux expériences rapportées par la même personne.

«Qu'est-ce qui s'est passé, au juste, je ne sais pas. Pendant un cours, à l'école, tout est devenu noir... et puis, tout était clair, doux. Comme si je me laissais porter par une vague. Et tout était doux, tout le monde était doux. Après, le cours était fini. Et je n'avais pas le goût de courir dans le corridor, de me bousculer... Et le cours de maths d'après — que j'ai toujours détesté — m'a paru bon, doux; j'aimais le prof, j'aimais les autres filles, même les moins sympathiques...

«Et après, c'est revenu souvent. Ça s'est mis à durer de plus en plus longtemps... Et ça me prenait n'importe où; parfois, ça a failli être très embêtant. Ça a duré trois ans. La dernière fois a été différente. J'étais dans l'autobus, en plein mois d'août, vers huit heures du matin. Je m'en allais travailler comme d'habitude. Alors, je me suis sentie partir... être bien, de mieux en mieux... Et puis, j'ai senti quelque chose que je ne suis pas près d'oublier. Ce n'était plus seulement comme d'habitude: me sentir bien avec le monde, avoir envie de prendre le monde... J'ai seulement eu le sentiment de m'entendre dire que dans chacune des personnes détestables (à mon avis) tassées dans l'autobus, il y a quelque chose à aimer. Je ne suis pas charismatique ni rien de ça (Dieu m'en garde), mais j'étais certaine que si tous les passagers de l'autobus étaient vivants, c'était parce qu'il y avait quelque chose 'd'aimable' en eux.»

## LES HABILETÉS EN CAUSE

Il n'est pas facile d'identifier spontanément les habiletés impliquées dans ces expériences. En procédant par élimination, on s'aperçoit qu'il ne s'agit ni d'habiletés de type sensori-moteur, comme dans la conduite de la grue, ni d'habiletés d'ordre cognitif ou interpersonnel, comme dans l'enseignement des mathématiques.

On pourrait penser que la principale habileté en cause dans l'expérience intérieure serait de l'ordre du savoir, mais d'un savoir existentiel, d'un savoir vécu. Le professeur de mathématiques met aussi en oeuvre des habiletés d'ordre cognitif lorsqu'il enseigne, mais il s'agit dans son cas d'opérations mentales sur des symboles ou des nombres qu'il manipule à son gré selon certaines règles données au départ.

Dans le cas de la jeune femme à qui nous avons donné la parole ci-haut, le rôle joué par le sujet qui connaît est beaucoup plus passif qu'actif, comme s'il s'agissait davantage d'une inspiration ou d'une intuition que d'une observation empirique ou d'une opération logique: «J'ai seulement eu le sentiment de m'entendre dire que dans chacune des personnes détestables (à mon avis) tassées dans l'autobus, il y a quelque chose à aimer.»

Dans l'hypothèse où il s'agirait vraiment ici d'un savoir différent, d'une façon différente de connaître, il faudrait poser la question: comment en arrive-t-on à ce savoir, quelles habiletés doit-on développer pour accéder à ce type de savoir?

Et parler d'habiletés à développer, c'est parler par le fait même d'apprentissage. Dans ce sens, être expérimenté dans la vie intérieure impliquerait la même démarche qu'être expérimenté dans le maniement d'une grue mécanique ou dans l'enseignement des mathématiques: un instructeur ou un professeur nous montre comment faire, puis on s'essaie avec ou sans supervision, et on apprend par essais et erreurs...

Dans ce sens, l'expérience intérieure pourrait consister dans l'accumulation d'un savoir vécu (par opposition à un savoir livresque), suite à l'exploration plus ou moins systématique de son univers intérieur: émotions, sentiments, réactions, réflexions, habitudes...

Nous consacrerons plus loin un chapitre complet à cette question de l'apprentissage de la vie intérieure (page 119 et suivantes). Disons toutefois pour l'instant que nous sommes en présence d'un mode d'apprentissage pour le moins inhabituel: qu'il s'agisse du détenu dans sa cellule, de la jeune femme assise sur le banc de la gare déserte en pleine nuit, ou de l'étudiante serrée dans l'autobus qui la conduisait à son travail, aucune de ces personnes ne s'était donné comme objectif d'apprendre des choses sur elle-même ou sur le mystère de l'existence...

C'est pourquoi il nous faut ranger les expériences intérieures décrites jusqu'ici du côté gauche du continuum réceptivité-activité. Ce faisant, nous rejoignons la position de plusieurs chercheurs qui définissent globalement et provisoirement l'expérience intérieure comme quelque chose qui arrive, que l'on éprouve, plutôt que quelque chose que l'on fait ou que l'on fait arriver.

## PRÉCISIONS SUR LES TERMES

Précisons que dans les pages qui suivent, nous nous intéresserons d'abord et avant tout à l'expérience intérieure *intense,* que divers auteurs nomment différemment: expérience-sommet, expérience extatique, expérience mystique... L'expérience intérieure ou l'expérience religieuse n'est évidemment pas toujours vécue sous une forme aussi intense, et je crois qu'elle n'a pas à l'être pour être authentique. Mais nous nous arrêterons pour notre part à l'expérience intense, entre autres choses parce que celle-ci est plus fréquemment méconnue.

Ensuite, nous parlerons d'expérience *intérieure,* parce que de l'avis des sujets impliqués, cette expérience commence indiscutablement à se manifester à partir de l'intérieur d'eux-mêmes, et non pas, comme il arrive habituellement, en réaction à un événement survenu dans l'environnement extérieur.

Cette expression d'expérience *intérieure* peut porter à malentendu en laissant croire que l'expérience en question demeure enfermée «dans le secret de l'âme», pour reprendre une vieille expression, alors qu'elle s'accompagne au contraire d'émotions intenses, impliquant donc le corps par le fait même, ainsi que de changements dans le fonctionnement du sujet. Le terme *intérieur* apparaît pour ces raisons inadéquat, mais c'est quand même celui qui nous apparaît le plus pratique, tout compte fait.

J'ai employé plus haut l'expression «l'expérience intérieure ou l'expérience religieuse», comme si ces deux concepts étaient interchangeables. Pour éviter de prendre position dès maintenant sur cette question, j'emploierai désormais uniquement l'expression «expérience intérieure intense», d'abord parce que ce n'est pas toute expérience religieuse qui est intense, ensuite parce que beaucoup de sujets qui se disent non-religieux déclarent avoir de telles expériences, et enfin parce que les concepts *religion* et *religieux* sont d'un maniement délicat, étant donné qu'on peut les définir de cinquante façons différentes.

Nous reviendrons sur cette question de la relation entre l'expérience intérieure intense et la religion à la fin du chapitre 9 (p. 102). Pour l'instant, nous poursuivrons notre exploration des faits en examinant quelques statistiques relatives à la fréquence de l'expérience intérieure intense dans la population actuelle.

# CHAPITRE 2

# La fréquence de l'expérience intérieure

En 1973, le sociologue Andrew Greeley collaborait à la préparation d'un sondage à l'échelle de l'ensemble des États-Unis. Réalisé par le National Opinion Research Center, ce sondage touchait 1,460 répondants pris au hasard et interrogés individuellement lors d'entrevues d'une durée moyenne d'une heure à une heure et demie[1].

Parmi les questions posées lors de ces entrevues, le sociologue américain avait fait inclure la suivante: «Vous êtes-vous déjà senti comme si vous étiez très proche d'une force spirituelle puissante qui semblait vous soulever hors de vous-même?» Les intervieweurs récoltèrent les réponses suivantes:

**Tableau 1:** *Fréquence de l'expérience intérieure selon le sondage américain*

| JAMAIS | UNE FOIS OU DEUX | PLUSIEURS FOIS | SOUVENT |
|--------|------------------|----------------|---------|
| 61% | 18% | 12% | 5% |

Trois ans plus tard, soit en 1976, deux chercheurs anglais réalisèrent pour leur part un sondage qui rejoignit 1,865 adultes pris au hasard à l'échelle de l'ensemble de l'Angleterre[2]. Ce sondage comportait la question suivante: «Avez-vous déjà été conscient de ou influencé par une présence ou une force différente de votre réalité quotidienne, que cette présence ou cette force soit identifiée ou non à Dieu?»

Les résultats de ce sondage s'avérèrent étonnamment semblables au sondage précédent, comme l'indique le tableau suivant:

**Tableau 2:** *Comparaison entre le sondage américain et le sondage anglais*

|  | JAMAIS | UNE FOIS OU DEUX | PLUSIEURS FOIS | SOUVENT | TOUJOURS |
|---|---|---|---|---|---|
| États-Unis | 61% | 18% | 12% | 5% | — |
| Angleterre | 63% | 18% | 10% | 6% | 2% |

On comprendra facilement que ces résultats étonnèrent les chercheurs. Comme le faisait remarquer Greeley, le sondage américain signifie qu'il y aurait, seulement aux États-Unis, soixante-dix millions de personnes ayant vécu des expériences intérieures à des fréquences diverses!

Un Américain ou une Américaine et un Anglais ou une Anglaise sur cinq disent avoir vécu une expérience intérieure intense au moins une fois dans leur vie, alors qu'un Américain ou une Américaine sur vingt et un Anglais ou une Anglaise sur seize disent vivre fréquemment de telles expériences.

## DIFFICULTÉ DE LA RECHERCHE

Ces recherches présentent évidemment des difficultés méthodologiques, la principale étant que les répondants n'ont pas été *vus* en train de vivre une expérience intérieure intense, mais qu'ils *disent* en avoir vécu une ou plusieurs. Nous reviendrons plus bas sur ce problème de l'interprétation par les sujets des expériences qu'ils rapportent.

Une deuxième difficulté consiste dans le phénomène de désirabilité sociale. Dans toute société, il est vital d'éviter les conflits et de se mériter l'acceptation d'autrui en coopérant avec lui. Cette nécessité a pour effet d'engendrer la tendance spontanée à fournir la réponse que nous estimons attendue par notre interlocuteur, lorsque nous sommes interrogés sur quoi que ce soit.

Poussée à la limite, cette tendance devient évidemment absurde, comme l'illustre l'histoire de cet aide-de-camp du général de Gaulle à qui celui-ci demandait l'heure et qui lui répondit: «L'heure que vous désirez, mon général!» Mais il reste que dans toute recherche où l'on ne peut pas observer directement le phénomène étudié, il faut toujours tenir compte de cette tendance à répondre dans le sens que le sujet croit à tort ou à raison attendu par l'intervieweur.

Ce phénomène de désirabilité sociale joue le plus fortement lorsque le sujet valorise personnellement lui aussi ce qu'il s'imagine être valorisé par la société et donc par l'intervieweur qui représente cette société. Ainsi, on pourrait demander dans un sondage: «Êtes-vous foncièrement honnête?», «Tenez-vous compte du point de vue de votre conjoint lorsque vous prenez une décision?», ou encore «Donnez-vous à vos enfants ce qu'ils sont en droit d'attendre d'un parent?»

Les gens étant bâtis comme ils le sont, ce sondage aurait de bonnes chances de mesurer bien plus ce que les répondants *pensent* d'eux-mêmes, que l'honnêteté réelle de leur comportement, la qualité réelle de leur sensibilité à l'endroit de leur conjoint ou la façon réelle dont ils s'acquittent de leur rôle de parent.

Peut-on évaluer maintenant jusqu'à quel point ce facteur de désirabilité sociale a joué dans le cas des deux sondages qui nous occupent? Partons du fait que dans les deux pays en question, la croyance en Dieu est un phénomène massivement répandu. On devrait donc s'attendre à ce que les sujets interrogés répondent positivement à une question touchant de près ou de loin l'expérience religieuse. Le raisonnement en cause ici pourrait être le suivant: de par leur éducation et leur environnement culturel où la religion est très présente, les gens *savent* qu'ils *doivent* avoir une expérience religieuse; donc lorsqu'on leur demande s'ils en ont une, ils répondent oui.

## LA RÉSISTANCE À CONFIER SON EXPÉRIENCE

Ces choses ne sont pas si simples, et on pourrait facilement imaginer le phénomène inverse. Dans l'ensemble de la population, les phénomènes paranormaux sont généralement tenus en suspicion, et les expériences intérieures intenses risquent fort d'être assimilées à des phénomènes paranormaux. Dès lors, le facteur de désirabilité sociale pourrait bien jouer en sens contraire, les sujets préférant taire leurs expériences intérieures pour ne pas passer pour des gens bizarres, voire pour des déséquilibrés mentaux.

À l'appui de cette dernière hypothèse, je pourrai citer de nombreux témoignages convergents, du genre de ceux qui suivent:

1. (Suite à un exposé que j'avais fait sur le sujet.) «J'ai revécu en pensée une expérience très forte que jusqu'à aujourd'hui je n'avais pas identifiée. Cette expérience m'avait sauvé la vie mais jusqu'à aujourd'hui, je préférais ne pas en parler. On ne pouvait pas me comprendre.»

2. «À la suite de votre exposé sur l'expérience-sommet, je me sens bouleversée, émue, et en même temps rassurée (...). Je suis émue, parce qu'enfin, après tant d'années, je rencontre quelqu'un qui semble comprendre parfaitement l'expérience merveilleuse que j'ai eu le bonheur de vivre à plusieurs reprises. Et le fait de sentir que vous ne jugez pas, que vous n'accusez pas d'hallucinations les gens à qui il est donné de vivre ces choses me remplit de joie et de sérénité.»

3. «Durant l'explication de cet exposé sur l'expérience intérieure et ses effets, j'ai ressenti de la sécurité et un bon soulagement. Aussi loin que je me souvienne, et cela sans préavis, j'ai vécu des expériences-

sommet. Je n'ai jamais osé en confier ne serait-ce qu'une, à qui que ce soit, par crainte d'être ridiculisée ou considérée comme anormalement émotive. Maintenant, je constate que je suis normale; c'est très agréable.»

4. «J'essaie parfois de parler de ces expériences avec d'autres personnes et je me fais dire que je suis rêveuse, émotive, sentimentale. J'aime vivre ces sentiments mais quand on m'en parle, c'est avec un petit rire moqueur. Aujourd'hui, à part une personne qui m'accueille avec ce que je vis, je garde ça pour moi mais je trouve cela difficile. J'ai le goût de partager avec les autres ce qui vit en moi... ce qui me rend si heureuse mais je sens que je les agace, alors je me tais.»

5. «J'éprouve une grande difficulté à parler de cet aspect de ma personne. Bien que je sois très ouverte en ce qui concerne ma vie courante, ma vie affective ou intellectuelle, j'ai une pudeur excessive à dévoiler mon corps spirituel. (...) Je crois avoir vécu des expériences très fortes...»

6. «Lundi dernier, je passais devant une librairie, et le titre de votre livre *Croissance humaine et instinct spirituel* (dans lequel j'aborde le phénomène de l'expérience intérieure intense) m'a attirée. (...) J'ai fait il y a douze ans ce que vous appelez une expérience-sommet. Dans ma naïveté, ma joie d'être ainsi comblée, et aussi mon bouleversement, j'ai essayé d'en parler à mon entourage qui m'a tout de suite pensée malade... (...) Excusez ce que je vais dire maintenant: Votre livre ne m'apprend rien de nouveau (...) mais il m'apporte ce que j'attends depuis longtemps...»

En guise de conclusion, on peut formuler trois hypothèses. D'abord, il est possible qu'une minorité d'«inconditionnels de la religion» aient répondu *oui,* en se disant: «Si Dieu existe — et il existe — il *doit* m'influencer.» Ces réponses sont susceptibles de se retrouver dans la catégorie «toujours» du sondage anglais, et par extension, dans la catégorie «souvent» des deux sondages.

Ensuite, on peut penser qu'un phénomène de censure a joué dans la catégorie «jamais», cette catégorie regroupant un nombre indéterminé de sujets qui ont «oublié» leurs expériences intérieures intenses ou qui ont préféré ne pas s'exprimer ouvertement sur cette question.

La grande conclusion serait enfin que bien que partiels et imparfaits, ces sondages ont permis de faire sortir de l'ombre une réalité répandue mais sur laquelle les sujets impliqués se font très discrets de peur de passer pour déviants.

## DES RÉSULTATS DIFFÉRENTS

Il convient toutefois d'être prudent dans l'utilisation des chiffres fournis par ces sondages. Deux chercheurs américains ont posé la même question que celle du sondage américain à trois cent jeunes adultes et ont obtenu le même pourcentage de réponses affirmatives (soit 34% comparé à 35% pour le sondage de Greeley). Toutefois, ayant par la suite demandé aux répondants de décrire leur expérience en détail, ils se sont aperçu qu'une petite minorité de répondants seulement avait eu une expérience qui correspondait effectivement à la question posée, la majorité des répondants décrivant soit d'autres types d'expériences «paranormales» (perception extrasensorielle, hors corps, télépathie, contacts avec les esprits), soit des expériences religieuses conventionnelles (comme se sentir consolé ou encouragé par Dieu, par exemple)[3].

Une deuxième étude menée par les mêmes chercheurs deux ans plus tard donnait sensiblement les mêmes résultats[4]. Ces deux recherches présentent toutefois la grave faiblesse de s'être adressées à des *volontaires* plutôt que d'avoir interrogé des gens *au hasard*.

Cette procédure entraîne de sérieux débalancements dans la nature de l'échantillon. Ainsi, dans la première recherche, 86% des personnes qui ont accepté de participer à la recherche étaient des femmes, et dans la deuxième recherche, les pourcentages des membres des groupes qui ont répondu à l'invitation varient de 35 à 95%.

Dès lors, toutes les hypothèses sont permises: peut-être que les croyants fervents sont plus portés que les autres à participer à ce genre de recherche, ce qui expliquerait le taux élevé d'expériences religieuses «conventionnelles» par rapport à l'ensemble des expériences recueillies.

Peut-être aussi que les personnes ayant vécu des expériences paranormales ont vu dans cette recherche une occasion d'obtenir plus de lumière sur ce qui leur était arrivé, ce qui expliquerait le taux élevé d'expériences paranormales par rapport à l'ensemble des expériences recueillies.

Enfin, peut-être que les personnes qui vivent des expériences intérieures intenses ne sont pas disposées à se porter spontanément volontaires pour en parler, ce qui expliquerait le taux très bas de telles expériences par rapport au total des expériences recueillies.

Cette dernière hypothèse n'est peut-être pas si fantaisiste qu'elle peut en avoir l'air. Il existe en effet plusieurs indices de cette légère résistance qui a pu amener ces personnes à s'abstenir, tels:

- la peur de ne pas être compris, telle qu'exprimée dans les différents extraits que j'ai cités plus haut;

- le fait que dans une autre recherche où l'on avait cette fois choisi les participants *au hasard,* «la majorité des personnes interviewées se montraient initialement réticentes à parler de leur expérience, mais qu'une technique d'entrevue rogérienne modifiée permettait de créer une relation dans laquelle les sujets devenaient plus ouverts»[5];

- l'expérience personnelle suivante: J'ai fait récemment

un exposé sur le sujet devant un groupe de vingt-cinq personnes. À la fin de l'exposé, j'ai invité ceux et celles qui le désiraient à partager avec le groupe leurs expériences intérieures intenses, mais un seul participant l'a fait. Or, après la pause qui a suivi son intervention, il m'a confié que trois personnes étaient venues lui dire qu'elles avaient vécu elles aussi des expériences tout à fait analogues.

Les meilleures études sont donc celles qui combinent à la fois l'échantillonnage au hasard, pour assurer la représentativité des sujets interrogés par rapport à l'ensemble de la population, et les entrevues individuelles, de manière à pouvoir cerner de plus près le contenu des expériences rapportées, comme cela a d'ailleurs été fait dans le cas de la recherche de Greeley.

Cette recherche demeure toutefois le fait d'un pionnier, et les problèmes méthodologiques qu'elle soulève perdront sans doute de leur ampleur à mesure que d'autres chercheurs prendront la relève. Pour notre part, avant de revenir sur son caractère proprement religieux ou mystique, nous consacrerons le chapitre suivant à examiner de plus près les caractéristiques et les effets de l'expérience intense.

---

1. GREELEY, A., *The Sociology of the Paranormal: A Reconnaissance,* Beverley Hills/London, Sage, 1975.
2. HAY, D., MORISY, A., Reports of Ecstatic, Paranormal, or Religious Experience in Great Britain and the United States — A Comparison of Trends, *Journal for the Scientific Study of Religion,* 1978, 17 (3), pp. 255-268.
3. THOMAS, E., COOPER, P., Measurement and Incidence of Mystical Experiences: An Exploratory Study, *Journal for the Scientific Study of Religion,* 1978, 17 (4), pp. 433-437.
4. THOMAS, E., COOPER, P., Incidence and psychological correlates of intense spiritual experiences, *The Journal of Transpersonal Psychology,* 1980, 12 (1), pp. 75-85.
5. HAY, D., Religious Experience Amongst A Group of Post-Graduate Students-A Qualitative Study, *Journal for the Scientific Study of Religion,* 1979, 18 (2), p. 166.

# CHAPITRE 3

# Nature et fonction de l'expérience intérieure

En 1964, Abraham Maslow publiait un petit volume qui est devenu par la suite un classique en psychologie de la religion sur la question de l'expérience intérieure[1].

Dans ce volume, le psychologue américain présente le fruit de ses contacts et de ses entrevues avec de nombreuses personnes qui ont vécu des expériences intérieures intenses. Il désigne ces phénomènes intenses sous le nom de «peaks» — ou expériences-sommet — et sous le nom de «peakers» les sujets de ces expériences, qu'il différencie des «non peakers», c'est-à-dire des personnes qui ne sont pas portées à en vivre.

On pourrait regrouper en trois catégories les vingt-cinq caractéristiques de l'expérience-sommet que Maslow présente dans sa synthèse. On aurait ainsi:

1. La perception durant l'expérience;
2. Les réactions immédiates du sujet;
3. Les effets de l'expérience.

## 1. LA PERCEPTION DURANT L'EXPÉRIENCE

– Le sujet se sent dégagé de ses besoins, comme s'il était au repos et qu'il n'était sollicité par aucune tâche. Nous verrons plus loin des cas où les sujets étaient préoccupés par des situations plus ou moins problématiques. Mais au moment où survient l'expérience, le sujet semble émerger de ses problèmes.

– Ce phénomène fait que la connaissance devient davantage passive et réceptive, alors qu'elle est habituellement un processus actif, centré sur la sélection et l'analyse des données pertinentes.

– L'attention du sujet se trouve ainsi totalement centrée sur ce qu'il perçoit, comme s'il était fasciné par ce qui se déroule. Il ne compare pas et n'évalue pas, comme si tout ce qu'il percevait était également bon et également important.

– Enfin, l'ensemble du réel tend à être perçu comme un tout unifié, dans lequel le sujet a sa place à lui. Il ne s'agit plus ici d'une vérité que le sujet connaît, mais d'une réalité qu'il sent.

## 2. LES RÉACTIONS IMMÉDIATES DU SUJET

– Il y a absence totale de peur ou d'anxiété; le sujet ne se défend pas contre son expérience et n'essaie pas de la contrôler, mais il est au contraire porté à s'y abandonner complètement.

– Les sujets se disent fréquemment désorientés dans le temps et dans l'espace; ils perdent contact avec leur environnement immédiat et perdent également la notion du temps. Ils doivent donc se resituer dans ces dimensions lorsqu'ils émergent de leur expérience.

– Ces expériences sont toujours éprouvées comme bonnes et désirables, et jamais comme menaçantes ou pénibles. Le fait qu'elles soient vécues comme possédant une valeur incomparable en elles-mêmes entraîne chez le sujet la conviction que l'aventure humaine dans son ensemble revêt elle aussi une valeur incomparable.

– Au plan des sentiments, les sujets réagissent par un mélange d'émerveillement, de révérence et d'humilité. Maslow traduit cette réaction de la façon suivante: «C'est trop merveilleux. Je ne sais pas comment je fais pour supporter cela. Je pourrais mourir tout de suite et cela serait correct.»

## 3.  LES EFFETS DE L'EXPÉRIENCE

Maslow présente ailleurs un certain nombre d'effets durables de ces expériences sur le fonctionnement des sujets[2]. On pourrait distinguer entre les effets de nature plus directement psychologique d'une part, et les effets d'ordre plus existentiel ou religieux d'autre part. Voyons cela de plus près.

### Au niveau psychologique

— Il y a à l'occasion des effets d'ordre thérapeutique, au sens de la disparition de certains symptômes: peurs, conflits internes, blocages, insomnies, perte d'appétit, traits dépressifs... Voici un exemple. À la suite d'une mauvaise réaction à un vaccin, une femme se trouve paralysée, ce qui amène le reste de la famille à prendre en charge toutes les tâches ménagères qu'elle assumait jusque-là. «Au lieu de me réjouir de tout cela, je tombai dans une dépression. Je me sentais inutile, je perdais espoir de guérir. J'en voulais à tous de m'avoir remplacée sans panique. (...) Un jour, on m'amena au jardin pour prendre un peu de soleil. Je marchais, mais sans pouvoir soulever les pieds. À un moment donné, je me suis trouvée seule et j'ai voulu changer de place. (...) Au bout de deux ou trois pas, je n'arrivais plus à avancer. Je sentais que quelque chose montait en moi, puis je sentis que je m'étais fondue avec la terre qui m'aspirait, puis j'étais envahie par la lumière: j'étais lumière.

«Toute l'agressivité et la révolte qui étaient en moi étaient aspirées par la terre. Et j'ai senti que la lumière qui passait en moi n'avait laissé place qu'à l'amour. Mon époux qui était de retour accourut vers moi, affolé, et je n'eus qu'à accepter la place qu'il me donnait entre ses bras. Je ne parlais pas, mais je pleurais de bonheur. (...) Cette nuit-là, j'ai dormi plus de dix heures, alors que je ne dormais jusque-là que deux ou trois heures par nuit. Moins d'une semaine plus tard, je marchais. Les médecins criaient au miracle.»

– Les autres effets d'ordre psychologique consistent d'une part dans le fait que le sujet évolue vers une image plus positive de lui-même (comme quelqu'un de valable, disposant de ressources, etc.) et d'autre part dans le fait que celui-ci devient plus lui-même, plus autonome et créateur, plus spontané et plus ouvert dans ses relations interpersonnelles. Voici une illustration de ces phénomènes.

«L'expérience la plus merveilleuse que j'ai vécue remonte à vingt-quatre ans, lors de mon ordination sacerdotale. Après quatre années d'études théologiques et spirituelles, je venais de terminer ma retraite d'ordination de huit jours, et j'étais ordonné prêtre du matin même.

«Durant les six derniers mois préparant mon ordination, j'avais beaucoup souffert à cause d'hésitations, de doutes, de reculs, de craintes, etc. Et je venais de tout donner sans espoir de reprise: mes amours, mon avenir, ma carrière, ma vie.

«C'est après le repas familial que je me sentis transformé, une chaleur de bien-être m'envahit, je me mis à chanter, à rire, je ne comprenais pas ce qui m'arrivait, mais j'étais heureux, heureux d'exister, heureux d'être là, heureux de m'être donné. J'aurais voulu que tous ceux qui m'entouraient puissent participer à ce même bonheur. Je me souviens d'avoir pleuré au moment où je bénissais ma jeune soeur, qui me regardait et se demandait ce qui m'arrivait. (...)

«J'ai vécu de cette expérience pendant dix ans, et je crois que celle-ci m'a transformé. Moi qui étais timide, sans initiative, on ne me reconnaissait plus. J'avais des idées extraordinaires, des initiatives inattendues, mes supérieurs me donnèrent beaucoup de responsabilités, que j'accomplissais avec facilité et droiture. Aujourd'hui, après vingt-quatre ans, je me souviens de cet événement comme si c'était hier.»

## Au niveau existentiel ou religieux

— Le sujet conserve de son expérience le souvenir de quelque chose d'important — parfois même de quelque chose de déterminant. Il ressort de cette expérience convaincu que la vie est bonne et chargée de sens, et ce, même si son existence quotidienne continue de lui apparaître à certains jours pénible et peu gratifiante. Voici une illustration.

«Depuis trois mois, j'étais soignée pour une petite dépression. Je participais à plusieurs activités au sein de différents mouvements de couples et familles. La fatigue, les frustrations et l'anxiété de rendre tous les couples heureux me grugeaient petit à petit. Je ne voulais pas voir mes limites, je refusais de les accepter. Ce qui devait arriver arriva. Du jour au lendemain, plus rien. J'étais complètement à plat et encore, je refusais d'y croire. C'était pour moi la plus grande défaite de toute ma vie, qui n'avait plus aucun sens. Je me culpabilisais, ne voulais plus voir personne, et je refusais de me nourrir. En un mot, le goût de vivre m'avait quittée. (...)

«Un jour de printemps, je me suis levée et je me suis parlé. J'avais un mari, trois beaux enfants que j'aimais, j'avais tout pour être heureuse. On avait besoin de moi. C'était une belle journée, il faisait soleil. Je suis partie me promener, en me parlant intérieurement. Il fallait que je réagisse. En me promenant, je me suis attardée à ce que mes yeux pouvaient voir, et là, durant quelques minutes ou je ne sais, je suis restée en contemplation devant un gros arbre. Je lui parlais. Il me parlait. En lui était la vie, il vivait depuis de nombreuses années. La vie pour lui n'avait pas toujours été facile. Son écorce était abimée, et pourtant il avait de nombreuses branches avec plein de petits bourgeons, remplis de vie, prêts à éclore au soleil.

«Dans cet arbre, je me suis aperçue. Cet arbre, soudainement, est devenu moi. Moi et mes blessures, moi et ma fatigue, mais aussi et surtout moi et mon goût subit très très fort de vouloir à nouveau revivre. Cela, je le voyais dans ces centaines de bourgeons. Subitement, je me suis sentie transformée de la tête aux pieds. J'avais le goût de grimper dans cet arbre, de l'embrasser. (...) J'avais envie de crier à tous combien je me sentais heureuse. Lorsque j'ai repris ma marche, je souriais seule, et j'avais envie d'arrêter les passants et leur dire combien j'étais heureuse et combien la vie valait la peine d'être vécue en profondeur. 'Merci mon Dieu', je ne cessais de répéter. J'avais hâte de revenir à la maison, de préparer un bon repas, de revoir mon mari et mes enfants avec des yeux illuminés de vie. Je respirais un air libre, un air bourré d'amour. Je volais. J'aimais, j'aimais, j'aimais.»

– Étant donné que ces expériences ne sont ni prévues ni voulues (du moins la première fois), mais qu'elles arrivent spontanément, le sujet en conserve souvent un sentiment de gratitude, soit face à Dieu ou face à la vie. Le témoignage suivant illustre cet aspect.

«Un jour que je me rendais à l'école — j'avais alors treize ans — je me suis sentie tout-à-coup envahie de l'intérieur par une présence à la fois très douce et très intense, que j'identifiai comme étant la présence de Dieu, aucune présence humaine n'ayant cette intensité et cette douceur. En même temps, je me suis vue enveloppée, complètement submergée par un flot d'amour. Je n'ai entendu aucune parole en des mots humains. Et pourtant, je suis convaincue que le Seigneur, ce jour-là, m'a parlé. C'est un peu comme si, au lieu de me parler à l'oreille, Il avait gravé un message dans ma mémoire... ou dans mon coeur. La seule chose que je puis dire, c'est que ce jour-là, j'ai compris très très profondément que Dieu m'aimait d'un amour incommensurable et que, par ailleurs, je n'étais pas l'objet d'un amour particulier, préférentiel, mais bien que tous les hommes de la terre étaient aimés de Dieu d'un tel amour.

«Quelques mois plus tard, alors que je revenais de la messe, Il m'a fait goûter une autre expérience semblable. J'ai ressenti encore la même présence, à la fois infiniment douce et pourtant extrêmement intense, le même climat de chaleur et d'amour, et j'ai senti très profondément que ce jour-là, le Seigneur prenait possession de mon être, d'une manière toute particulière. Cependant, ce n'était pas du tout une prise de possession dominatrice qui entravait en quoi que ce soit ma liberté. Loin de là! C'était une prise de possession libératrice et épanouissante. Une emprise sur tout mon être, mais une emprise qui me donnait la vie et qui devenait pour moi une source de croissance.

«Sur le moment, ces expériences m'ont toujours laissée débordante de gratitude, d'amour et de joie. Aussi étrange que cela puisse paraître, tout en étant bien consciente de mon indignité devant ces grâces, je ne me suis jamais sentie écrasée par elles, mais plutôt joyeuse et reconnaissante...»

– Enfin, ces expériences font souvent naître un sentiment d'amour universel, un peu comme le sentiment de devoir remettre à d'autres sous forme d'amour ce que le sujet a reçu gratuitement.

On peut regrouper les expériences intérieures intenses selon l'importance de leur impact sur la suite de l'évolution du sujet. On aurait ainsi:

    A. Impact spectaculaire et déterminant;
    B. Impact stratégique;
    C. Pas d'impact apparent.

## A. IMPACT SPECTACULAIRE ET DÉTERMINANT

L'expérience de la personne détenue dans une institution pénitenciaire que nous avons présentée au tout début du volume se rangerait dans cette catégorie. De même pourrait-on penser à plusieurs expériences de conversions décrites dans la littérature religieuse. L'expérience intérieure aurait ici pour fonction d'opérer un déblocage et une réorientation de fond dans la vie du sujet.

## B. IMPACT STRATÉGIQUE

À d'autres moments, l'expérience intérieure apparaît plutôt comme un coup de pouce important dans une évolution laborieuse du sujet vers son intégration personnelle. Voici deux témoignages pour illustrer cette catégorie.

«La première fois, j'étais à la cuisine, un dimanche matin. Je venais de voir une émission de télévision dont l'invitée était une personne que j'aime beaucoup, Simone Monet-Chartrand. Je terminais mon café, debout, appuyée contre la cuisinière électrique, quand je sentis monter en moi une force d'une grande douceur, comme une présence chaleureuse et rayonnante. Je suis restée immobile un bon moment, un peu bouleversée mais sans être effrayée, et deux mots me sont venus comme une forme d'"explication': l'amour existe!

«C'était vers la fin de décembre 74. Au cours de l'hiver, j'ai éprouvé souvent le besoin de me retrouver seule. J'aimais lire, penser, et il n'était pas rare que je n'aille dormir qu'après le lever du soleil.»

Après avoir décrit d'autres expériences analogues, la personne poursuit: «Après cette expérience, je me suis sentie progressivement abandonnée, et j'en suis venue à cesser toute pratique religieuse. (...) Je crois que ces expériences m'ont apporté beaucoup. Ma capacité et mon goût de réfléchir viennent de cette période de ma vie. J'étais très timide, peu communicative, et je deviens graduellement beaucoup plus ouverte, même s'il me reste pas mal de chemin à faire pour être tout à fait bien dans ma peau. Je commence à vivre par moi-même, à m'actualiser, mais je dois reconnaître que je n'ai pas vécu d'une façon très sereine les années qui ont suivi cette période. J'étais plutôt dépressive (il m'arrive encore parfois de l'être) et même désespérée par moments. J'ai déjà tenté de me suicider en 77, et ce n'est que depuis peu que je découvre un sens, une cohérence à ma vie (enfin, presque...).

«Bien que j'aie moi aussi des peurs, j'ai le sentiment que la vie vaut la peine d'être aimée (je t'avoue que je ne pense pas cela à tous les jours...). En résumé, si je cherche un sens, un pourquoi à ces expériences, je dirais qu'elles m'ont peut-être été données pour me rassurer, comme pour me dire quand ça ne va pas très bien et que je me sens de trop dans la vie: tout de même, ‹ça› m'est arrivé...»

Le second récit donne la même impression d'un processus de croissance bien enclenché mais laborieux en même temps.

«L'expérience racontée s'est produite il y a cinq ans. Il est 2:30, le samedi matin. Angoissé, découragé, déprimé, je ne parviens pas à trouver la paix... le sommeil. Et pourtant, j'ai essayé: j'ai lu, j'ai écouté de la musique, la télévision, je me suis masturbé, je me suis promené, j'ai mangé; rien... le repos ne veut pas de moi! J'ai avalé deux comprimés... Je suis incapable de vivre cette angoisse. Je sens venir la fin. Je veux mourir...

«Jeudi matin dernier, ma femme a été hospitalisée pour la quatrième fois, me laissant seul avec les trois petits. J'ai vingt-sept ans. Je suis à bout de force et de résistance. Je n'accepte pas cette dernière hospitalisation. Je refuse de la vivre. Je veux fuir. Je veux mourir...

«Il est 2:30 et les comprimés avalés n'ont pas eu d'effet. Je suis las. Les petits dorment; c'est le calme absolu à la maison. Je vais en finir. Je continuerai à absorber des comprimés. J'abandonne mon sort à Dieu. Ce sera à lui de décider si je dois trouver le repos par le sommeil ou par la mort. Je prendrai les comprimés deux à la fois jusqu'à ce qu'advienne l'un ou l'autre... Je ne peux faire plus.

«En me levant pour aller quérir d'autres médicaments, une commande extérieure guide mes pas vers le téléphone et j'appelle un grand ami (l'idée ne m'en était pas venue de la soirée). La conversation dure dix minutes. Il offre de venir me voir mais je refuse. Je ressens un grand besoin de solitude. Je pressens qu'il va se passer quelque chose. Je vais me coucher.

«Tout au long de la nuit, étendu sur mon lit, les yeux ouverts, je me sens bien. Je suis envahi par un immense bien-être, une paix en dehors du temps et de l'espace. Je suis dans des limbes bienveillantes. Pendant ces quelques quatre heures, je ne réfléchis ni ne pense à rien. Le temps s'écoule la durée d'un moment. Je vis en dehors de ma réalité terrestre.

«Aux environs de sept heures, les petits se réveillent. Je n'ai pas dormi et pourtant je me sens reposé, en paix. Je suis surpris que le jour soit déjà levé. Je suis étonné de me sentir si paisible, sans aucune anxiété. Je n'ai pas dormi mais je sens que mes enfants me ramènent à ma réalité comme si je l'avais quittée.

«Lorsque je me suis levé, j'étais plein d'amour pour mes enfants. Je me souviens de les avoir bercés longtemps. De plus, j'avais accepté la maladie de ma femme. J'étais transformé par une paix et une sagesse inconnues à ce jour.

«Les deux semaines qui ont suivi, je ne portais plus à terre. J'étais heureux sans mesure. J'étais fortifié et prêt à surmonter mes obstacles. Je m'acceptais profondément jusque dans mes plus intimes replis. J'avais trouvé le goût de vivre...

«J'ai ressenti les bienfaits de cette expérience pendant près de trois ans. Hélas, une vie remplie de tourments, d'angoisses, de misères et de malheurs ne pouvait pas aboutir aussi rapidement au bonheur. J'avais connu le sommet de l'Himalaya; il fallait bien que je connaisse aussi la profondeur des océans... ne fût-ce que pour goûter, un jour, à des sommets qui me sont encore inconnus.

«Je garde de cette nuit une profonde reconnaissance à Dieu, non pour m'avoir conservé la vie, mais pour lui avoir donné un sens... un espoir!»

## C. PAS D'IMPACT APPARENT

Enfin, il faut une dernière catégorie pour recueillir les expériences apparemment plus gratuites, qui semblent n'avoir pour effet que d'exprimer ou de consolider la santé mentale du sujet et sa fécondité sociale. Une personne m'écrit ainsi les lignes suivantes:

«Une amie pour qui j'ai beaucoup d'admiration et de confiance me raconta récemment qu'après une fin de semaine de réflexion, en entrant chez elle, elle s'est sentie soudainement envahie par un état de bien-être, une sensation de bonheur indescriptible. Elle se rendit à son piano en ayant la quasi-certitude qu'elle flottait au lieu de marcher. Ses mains se mirent à jouer ce qu'elle ressentait et ce qu'elle vivait présentement. 'Mes mains touchaient les notes qui reproduisaient exactement ce que je vivais intérieurement.' Ce fut la plus merveilleuse expérience de sa vie, m'a-t-elle confié.

«Je suis convaincue que mon amie a vécu une expérience-sommet. De plus, je reconnais en elle la 'personne actualisée', très heureuse, qui savoure toutes les bonnes choses de la vie. Elle est débordante d'énergie, mais inspire le calme et la sérénité. J'ai constaté que son fin sens de l'humour est apprécié de tous ses camarades de travail. Ses élèves l'adorent. J'ai beaucoup à apprendre de cette amie, et après chaque rencontre avec elle, je me sens toujours appelée à vivre chaque instant de ma vie comme si c'était le dernier i.e. à le vivre pleinement sans penser à autre chose.»

Nous tenterons au chapitre suivant de compléter cette énumération des effets de l'expérience intérieure intense, en suggérant des points qui ne se retrouvent pas chez Maslow ni chez les autres auteurs que j'ai lus sur ce sujet, et en explicitant d'autres points mentionnés brièvement par Maslow. Pour l'instant, nous jetterons un coup d'oeil en terminant sur l'influence des facteurs physiologiques sur l'expérience intérieure intense.

## FRÉQUENCE SELON LE SEXE

Les recherches statistiques sur l'expérience intérieure intense ne permettent pas d'observer de différences marquées de fréquence selon le sexe. Certaines recherches indiquent une fréquence plus grande chez les femmes que chez les hommes, alors que d'autres recherches ne démontrent aucune différence statistiquement significative. Pour ce qui est de la fréquence chez les femmes, l'une d'entre elles m'écrit ceci.

«Il y a une constante. Mes expériences intérieures intenses peuvent m'arriver seule ou en groupe, au travail comme au repos, mais pour moi, il y a un facteur physique déterminant: le cycle menstruel. Mes expériences sont beaucoup plus fréquentes, profondes et durables dans leurs effets, dans la première moitié du cycle. À croire que les hormones influencent la vie mystique! Et plusieurs femmes à qui j'en ai parlé m'ont dit le vivre comme cela aussi. (...) En première partie du cycle, je vis plutôt du côté des pôles positifs (harmonie, douceur, patience, etc.). Inutile de dire que là sont les expériences les plus fréquentes. Et en deuxième partie du cycle, je vis plutôt la dynamique opposée (agressivité, intolérance, impatience, etc.).»

Ce phénomène de l'influence des états physiologiques sur la fréquence et l'intensité de l'expérience intérieure se retrouve également dans les pratiques de beaucoup de contemplatifs, en relation par exemple avec l'alimentation (jeûnes et abstinence), le sommeil (régularité et veilles), et la stimulation sensorielle et sociale (solitude).

Il serait intéressant d'explorer davantage l'impact possible sur l'expérience intérieure des différences physiologiques entre la femme et l'homme, mais le peu d'éléments dont je dispose présentement ne me permet pas d'aller plus loin pour l'instant.

1. MASLOW, A., *Religions, Values and Peak-Experiences.* Penguin Books, 1976 (c. 1964).

2. MASLOW, A., *Toward a Psychology of Being,* Second Edition, Princeton, New Jersey, Van Nostrand, 1968 (c. 1962), pp. 71-114.

# CHAPITRE 4

# Guérison, préparation, révélation...

En analysant les témoignages recueillis, je me suis aperçu que l'expérience intérieure intense remplissait fréquemment d'autres fonctions que celles mentionnées par Maslow. Dans le présent chapitre, nous examinerons quatre de ces fonctions, soit

- la fonction de guérison;
- la fonction de préparation;
- la fonction de conversion;
- la fonction de révélation.

## FONCTION DE GUÉRISON

Plusieurs expériences intérieures ont fréquemment comme fonction de faciliter l'acceptation par le sujet de réalités difficiles pour lui. Je pense par exemple à des échecs divers, des conflits interpersonnels, des séparations et des deuils. À strictement parler, cette fonction est déjà contenue en germe dans un des effets décrits par Maslow, soit une énergie accrue pour supporter sereinement ce que le quotidien peut parfois avoir de pénible. Mais les cas que j'ai à l'esprit présentent un lien étroit entre l'expérience et une situation précise, comme si l'expérience avait pour fonction, soit de faciliter l'intégration d'un fait passé, soit de préparer l'intégration d'un fait à venir. Voici deux exemples.

«Je venais d'avoir une grosse déception concernant un de mes enfants. Ce dernier avait commis ce qu'on appelle une erreur. Le chagrin et la révolte me rongeaient le coeur. Après toutes les autres tribulations passées avec les aînées, pourquoi fallait-il tant souffrir et tant aimer? C'est une question que je posais à Dieu. Si j'avais eu une roche à la place du coeur, ça aurait été beaucoup plus simple.

«J'étais seule à la maison, j'étouffais, je n'en pouvais plus. Pour une des rares fois de ma vie, consciemment, je me mis à crier à Dieu ma peine et ma déception, et lui demander pourquoi je devais tant aimer et tant souffrir.

«Des flashs me sont venus d'un Christ toujours souffrant par amour, de l'amour infini, gratuit, insondable, compréhensif de notre Père à tous dont ma relation mère-enfant était un bien pâle reflet. Je cherchais des brèches dans l'éducation de cet enfant mais je ne trouvais qu'amour et tendresse, je n'avais rien à me reprocher. C'était seulement une erreur de sa part: mais comment retrouver cette confiance et cette joie perdues?

«Je priais Dieu de tout mon coeur de m'aider à pardonner et à retrouver la confiance perdue. Je sentais que par moi-même je n'y arriverais pas. Et j'ai pensé à Jésus-Christ portant la croix de toutes nos fautes, de tous nos péchés, de toutes nos misères. Et c'est comme si je lui demandais intérieurement de prendre sur lui ma peine, de la porter. L'idée de la lâcheté me traversa l'esprit et s'estompa pour me faire comprendre plutôt ma faiblesse et ma limite humaine.

«Et je commençai à me calmer, je vivais un envahissement très fort intérieurement. Et je priais toujours Dieu très intensément de m'aider, de me libérer. Je m'abandonnais à Lui, ainsi que mon enfant et toute ma vie.

«C'est alors que j'ai commencé à lire un livre au hasard. Des phrases me frappaient clairement, j'avais la certitude que Dieu me parlait directement. J'étais émue, j'avais les yeux pleins d'eau. J'étais habitée d'une intensité, d'une plénitude, d'une chaleur. Et mes sentiments se changeaient en joie, en gratitude et je me sentais remplie d'amour, de compréhension. C'était du bonheur, une grande paix retrouvée. La situation était pourtant la même.

«J'ai pu par la suite aider mon enfant, dialoguer avec lui, lui faire comprendre son erreur et l'entendre me dire tout en pleurs, 'Maman t'es fine'. Nous avons prié ensemble, et dans l'espace de quelques semaines, tout est rentré dans l'ordre. Je n'ai pas vécu d'agressivité par la suite, la confiance et l'amour régnaient à nouveau et un grand calme et un grand équilibre continuaient à m'habiter.»

La deuxième expérience présente la même structure et entraîne le même effet.

«Il y a quatre ans, ma fille aînée m'apprend qu'elle veut épouser un jeune étranger qu'elle connaît depuis deux mois à peine. Elle a dix-huit ans et demi et lui vingt-deux. C'est le grand amour, elle est transformée et rien n'existe pour elle à part lui. (...) Je parle seule avec lui pendant tout un après-midi. Il me semble honnête mais pessimiste. Je vois les difficultés devant eux et cela m'inquiète.

«Après de longues discussions avec ma fille et son ami, il n'y a plus rien d'autre à faire pour mon mari et moi, que de prier. (...) Le mariage est prévu à l'Hôtel de ville, une autre chose à laquelle nous devons nous soumettre. Pas de mariage à l'église, ma fille ne pratique pas depuis trois ans et son ami est musulman non pratiquant.

«Tout cela, sans compter tout ce que je ne mentionne pas, m'épuise; je suis tendue, j'ai de fréquentes migraines, le coeur me fait mal tant je suis angoissée.

«Je me souviens de cet après-midi où j'étais étendue sur un petit lit dans le solarium, pour me reposer. J'en profitais aussi pour faire mon temps de prières. Naturellement à cette époque, je ne pouvais que penser à ce mariage qui se ferait bientôt, mais que je n'acceptais pas facilement. Je pressentais d'avance toute la souffrance que ma fille vivrait dans l'avenir, en me disant aussi que c'était peut-être normal pour une mère de vivre de telles angoisses en temps pareil. Je priais donc pour que la volonté de Dieu se fasse pour eux, ne voulant en rien nuire à leur projet si c'était sa volonté.

«Je me suis alors sentie comme soulevée du lit, comme couchée sur un nuage ou une couche d'air, dans un état de bien-être que je n'avais jamais connu. Je n'avais aucun désir de bouger, de me lever, de quoi que ce soit. Ce bien-être me surpassait, je me sentais toute petite et légère. Toute lourdeur, toute douleur et toute anxiété disparaissaient. Je n'avais aucune notion du temps, ou de quoi que ce soit qui pouvait se passer autour. J'étais bien, même trop bien, si bien que lorsque je me suis sentie revenir à moi-même, je suis restée très longtemps sans bouger. À la suite de cette expérience, je savais que ce mariage devait se faire, j'étais consciente que je n'étais pas nécessairement heureuse de l'événement, mais soumise et dans une très grande paix. Même par la suite, lorsque les problèmes ont commencé, j'en étais très consciente, mais toujours en paix, j'avais la certitude que ma fille devait vivre cette expérience pour une raison que je n'avais pas à comprendre.

«Après deux ans et demi de mariage, elle est revenue à la maison. Elle a obtenu son divorce récemment. Elle m'a dit un jour: 'Je ne regrette pas, je devais vivre cette expérience, merci d'avoir compris.' Elle a repris ses études et elle a son propre appartement maintenant.»

### FONCTION DE PRÉPARATION

Ce qui semble plus intriguant encore, c'est qu'en plus de cette fonction de réconciliation ou de guérison par rapport à un événement passé ou présent, l'expérience intérieure intense aurait aussi comme fonction de préparer le sujet à vivre un événement difficile *qu'il ne connaît pas encore.* C'est du moins l'hypothèse que permettent d'avancer les deux expériences suivantes.

«Quelques jours avant le décès de mon père, j'ai ressenti un état de bien-être extraordinaire. Mon père était une personne très renfermée. Je ne communiquais pas beaucoup avec lui. Pendant les vacances d'été, il vint m'aider à construire mon chalet à la campagne. Contrairement à son habitude, il n'avait que des éloges à m'adresser. C'était tout nouveau pour moi. Le soir après la journée de travail, nous visitions les différents rangs du village. Il parlait peu. Il regardait ici et là. J'avais l'impression qu'il vivait un rêve. Pour moi, c'était merveilleux. Je ne le connaissais pas sous cet angle-là. Je vivais une relation père-fils très intense. Ce que je ressentais était plus que sa présence physique. C'était quelque chose d'intéressant, de désirable. En quelques heures, la vie prenait un sens nouveau.

«J'avais trente-sept ans. Je crois que pour la première fois je me suis laissé bercer par cette bouffée de bien-être aussi merveilleux. Mes relations interpersonnelles ont considérablement changé avec plusieurs membres de ma famille. Maintenant je me sens plus près de mes frères et soeurs.

«À peine deux semaines plus tard, ma soeur m'annonce que papa vient de mourir subitement au travail. Cette nouvelle m'attrista mais les quelques jours passés ensemble me firent voir cet événement tout à fait différemment. J'avais la sensation d'avoir vécu, dans les semaines précédentes, une relation père-fils tellement extraordinaire que maintenant il pouvait partir comme il l'a fait. C'était pour moi le maximum d'une relation père-fils.»

Dans un contexte plus dramatique encore, l'expérience suivante semble avoir eu la même fonction.

«Cet après-midi-là, je me souviens très bien, fin juin, j'étais seul à la maison, je me préparais à aller au chalet chez mon père. J'attendais mon futur gendre, car ma famille y était déjà rendue. À un moment donné, je me sentis envahi par une émotion forte, sans raison aucune, et je sentis que j'étais prêt à accepter les épreuves que Dieu voudrait bien m'envoyer.

«Nous étions au seuil d'une nouvelle vie. Nous venions d'emménager dans une nouvelle maison et mon épouse était enceinte d'un deuxième enfant. Or dès septembre on lui découvrit un cancer intestinal, on lui donnait six mois à vivre. Son bébé né prématurément ne survécut que deux jours. Mon épouse est décédée chez nous, un an plus tard, dans notre lit.

«J'ai toujours pensé que le Seigneur m'avait fait accepter à l'avance cet après-midi-là cette épreuve que rien ne laissait présager. Ce n'est pas la seule fois où cela m'est arrivé. Dans ces moments-là, je suis prêt à tout donner.»

## FONCTION DE CONVERSION

Une troisième fonction de l'expérience intérieure intense consiste dans la conversion. Pour la psychologie et la sociologie, les phénomènes de conversion couvrent un énorme champ de recherche, et il n'est pas question d'ouvrir ce dossier complexe ici.

Je me limiterai à quelques observations destinées à verser une seule pièce à ce dossier. Il faut au préalable évoquer la distinction entre la conversion inter-religion (du catholicisme au bouddhisme, par exemple), et la conversion intra-religion, laquelle se caractérise par un regain de ferveur et un nouvel investissement dans la poursuite des objectifs de sa propre religion.

Dans la mesure où elles sont interprétées comme un événement religieux, voire comme une rencontre de Dieu, beaucoup d'expériences intérieures intenses ont un effet de conversion sur les sujets qui les vivent. Regardons dans ce sens le témoignage suivant, qui émane d'un jeune homme dans la vingtaine.

«Il a fallu que je vous entende expliquer l'expérience-sommet pour qu'un événement survenu dans ma vie il y a quatre ans m'apparaisse franchement comme une expérience de ce type. Au mois d'août 1976, pendant un après-midi, j'ai subitement rencontré quelqu'un qui était invisible mais qui m'aimait d'un amour infini, moi, X. J'ai alors ressenti un immense bien-être, une joie folle, inexprimable. Il y avait, il y a toujours, une lumière en moi. Cette rencontre avec Dieu a complètement bouleversé ma vie. (...)

«J'ai découvert cette journée-là l'appel, la vocation profondément inscrits en moi. Pour dire vrai, cette rencontre
avec Dieu m'a conduit à me prendre véritablement en
mains, à quitter une sorte d'inertie qui me faisait subir la vie,
et non la vivre.»

À vrai dire, beaucoup d'expériences intérieures intenses
portent en elles le germe d'une conversion intra-religion,
dans la mesure où les effets habituels de ce type d'expérience présentent d'étroites affinités avec les objectifs cen-
traux des grandes religions: autonomie et créativité, altruisme, sensibilité au mystère de l'existence... Il est même
permis de penser que cet effet de conversion devient inévitable dès que le sujet interprète son expérience sur un
registre religieux, c'est-à-dire comme une rencontre de Dieu.

Dans un contexte religieux, en effet, toute expérience
spéciale, toute prise de conscience inhabituelle a tendance
à être interprétée comme une mission, le sujet sentant qu'il
doit désormais se montrer à la hauteur de ce qu'il a reçu.
Il y a ainsi un *désormais* qui vient marquer cette coupure
établie par l'expérience intérieure intense entre l'avant et
l'après, et qui apparaît textuellement dans plusieurs récits
religieux, bibliques ou autres.

À la limite, cette fonction de conversion peut jouer
même en dehors de tout contexte religieux, le sujet se
voyant amené à prendre conscience des «appels profondément inscrits en lui», pour reprendre le vocabulaire utilisé ci-
haut. Même en dehors d'un contexte religieux, en effet, se
convertir consiste aussi à se faire davantage attentif aux
appels qu'on porte en soi, et à investir davantage d'énergies
dans la réponse à ces appels.

Pour l'auteur chrétien Dürckheim, toute expérience intérieure intense est ainsi un appel qui est souvent ignoré ou
banalisé parce que le sujet ne sait comment l'interpréter ou
qu'il en a peur. Lorsqu'il est entendu, toutefois, cet appel a
pour fonction d'amener le sujet à dépasser la réalité immédiate, où il peut se contenter d'être rationnel et autonome,

pour l'ouvrir à son être profond, qui est le lieu d'une conscience nouvelle[1].

Nous préciserons aux chapitres 9, 10 et 11 la nature de cette nouvelle conscience. Remarquons pour l'instant que le phénomène de l'accession à cette concience nouvelle est souvent désigné sur un registre religieux comme la grande conversion ou la renaissance spirituelle.

## FONCTION DE RÉVÉLATION

Enfin, l'expérience intérieure intense remplit fréquemment une fonction de révélation. Ce terme présente évidemment des connotations religieuses ou surnaturelles, mais il faut l'entendre ici au sens le plus large d'une «chose qui vient à la connaissance», comme le dit le dictionnaire.

Dans ses recherches sur la motivation ou sur la croissance vers la pleine actualisation de soi, Maslow fait remarquer que nous sommes souvent portés à nous accrocher à l'univers de ce qu'il appelle «les besoins de manque»: sécurité, confort, apparences, réputation et prestige, biens matériels. C'est pourquoi il estime que nous avons souvent besoin d'un coup de pouce pour nous «décrocher» et nous faire évoluer en direction de ce qu'il appelle «les besoins d'être»: solidarité, partage, créativité, confiance en soi et en autrui, etc.[2].

Or, une des fonctions de l'expérience intérieure intense semble être justement d'aider le sujet à opérer ce décrochage et à s'engager dans l'actualisation de soi en s'ouvrant aux «besoins d'être». Et pour ce faire, le sujet doit d'abord passer par des *prises de conscience senties* des enjeux de fond de l'aventure humaine. C'est dans ce sens que je parle ici d'une fonction de révélation, c'est-à-dire d'une prise de conscience existentielle de ce que le sujet a peut-être toujours su au niveau de ses principes, sans que cette connaissance n'intervienne vraiment dans son agir.

Le témoignage qui suit met bien en relief le rôle déterminant de la révélation ou prise de conscience, dans l'évolution du sujet vers sa véritable autonomie et sa pleine fécondité sociale. On notera en ce sens les expressions «à forte teneur cognitive»: «J'ai compris», «Je découvrais», «Je voyais que», «J'ai pris le temps de repenser ma vie», «Je faisais des liens»...

«J'ai eu mon premier enfant à vingt-neuf ans, et j'ai connu à ce moment une expérience extraordinaire. Pendant cet accouchement, j'ai compris dans ma chair ce que c'était que la Rédemption du monde. J'avais à la fois un sentiment d'extase et de communion avec toute l'humanité, et de communion avec Jésus-Christ. J'ai chassé cela. Pendant un an et demi, je n'en ai parlé à personne. Quel sacrilège, mêler Dieu à ma sexualité! J'ai refoulé ce sentiment de plénitude qui m'avait envahie, mais je n'arrivais pas à oublier.

«Deux ans plus tard, j'étais enceinte de nouveau, et j'ai dû rester au lit pendant trois mois. Je venais juste de me procurer la Bible. Mon mari étudiait à l'extérieur de la ville et mon premier enfant était chez ma mère. Seule vingt-quatre heures sur vingt-quatre, je me suis mise en état d'attente, d'abandon, d'ouverture, écoutant mes sentiments, ma vie, mon être et la Parole de Dieu. Cet accouchement fut conscient et cette fois, je n'ai pas refoulé cette sensation de chaleur, d'euphorie, de communion avec l'univers et avec Jésus-Christ. Je découvrais un Dieu proche, il y avait fusion du corps et de l'esprit au-delà de la chair. Ce fut comme un éclair, Dieu était aussi dans mon corps, dans la nature, puisqu'il en était le créateur et que l'oeuvre ressemble à l'artiste. Je voyais que tout était bon dans la vie. J'ai pris le temps de ne rien faire et de repenser ma vie en fonction de cette expérience. Je venais d'accoucher de MOI.

«Ma vie a alors changé. J'étais fière d'être femme, plus créative, je me sentais en possession de tous mes moyens, en accord avec l'univers et confiante en l'humanité. Je faisais des liens entre ma vie et l'Évangile. C'était une résurrection. Après la naissance de cet enfant, j'ai repris mes études: diplôme d'études collégiales en Sc. humaines et en secrétariat, bacc. en enseignement. Jeune, je n'étais pas

bonne à l'école; maintenant, ça allait bien. Je me suis impli-
quée dans mon milieu scolaire, je prends des risques en
participant à des comités. Je suis engagée dans quelques
mouvements...»

## LA DESCRIPTION DE L'EXPÉRIENCE INTÉRIEURE

Cette dimension de révélation est bien visible, également, dans la description de l'expérience intérieure intense
que le sociologue Greeley a demandé à ses répondants de
faire, dans son sondage national. Voici par ordre décrois-
sant de fréquence les sentiments ou les phénomènes qui
ont été mentionnés par les sujets[3].

**Tableau 3:** *Les sentiments décrivant l'expérience intérieure intense*

| | |
|---|---|
| Un sentiment de paix profonde: | 55% |
| La certitude que tout va bien finir («that all things would work out for the good»): | 48% |
| Le sentiment de devoir faire ma part pour les autres: | 43% |
| La conviction que l'amour est au centre de tout: | 43% |
| Un sentiment de joie et de rire: | 43% |
| Une expérience d'une forte intensité émotive: | 38% |
| Un grand accroissement de ma compréhension et de ma connaissance: | 32% |
| Le sentiment de l'unité de toutes choses et d'avoir ma place au sein de cette unité: | 29% |
| Le sentiment d'une nouvelle vie ou de vivre dans un monde neuf: | 27% |
| La confiance dans ma survie personnelle: | 27% |
| Le sentiment de ne pas pouvoir décrire ce qui m'arrive: | 26% |

| | |
|---|---|
| Le sentiment que tout l'univers est vivant: | 25% |
| La sensation d'être envahi par quelque chose de beaucoup plus puissant que moi: | 24% |
| Le sentiment d'une très grande expansion personnelle, soit psychologique ou physique: | 22% |
| Une sensation de chaleur ou de feu: | 22% |
| Le sentiment d'être seul: | 19% |
| La disparition des préoccupations par rapport aux problèmes de tous les jours («wordly problems»): | 19% |
| Le sentiment d'être baigné dans la lumière: | 14% |
| Un sentiment de désolation: | 8% |
| Quelque chose d'autre: | 4% |

On peut penser que les personnes qui ont vécu une expérience intense soit de guérison ou de réconciliation, soit de préparation à un événement difficile, auraient mentionné les traits suivants:
- un sentiment de paix profonde;
- la certitude que tout va bien finir;
- la conviction que l'amour est au centre de tout;
- la disparition des préoccupations par rapport aux problèmes de tous les jours.

Quant aux personnes dont l'expérience a eu une fonction de révélation, elles auraient probablement mentionné les traits suivants:

- la conviction que l'amour est au centre de tout;
- un grand accroissement de ma compréhension et de ma connaissance;
- le sentiment d'une nouvelle vie ou de vivre dans un monde neuf.

Notons enfin la coloration fortement religieuse de plusieurs caractéristiques mentionnées par les sujets:

- la certitude que tout va bien finir;
- le sentiment de devoir faire ma part pour les autres (dimension éthique de la religion);
- la conviction que l'amour est au centre de tout;
- le sentiment de l'unité de toutes choses et d'avoir ma place au sein de cette unité;
- la confiance dans ma survie personnelle;
- la sensation d'être envahi par quelque chose de beaucoup plus puissant que moi.

Nous reviendrons plus loin (aux pp. 102 et suivantes) sur cette question du caractère religieux ou mystique de l'expérience intérieure intense.

---

1. DURCKHEIM, K. G., *La percée de l'Être ou les étapes de la maturité,* Paris, Le Courrier du livre, 1971, (c. 1954), pp. 53-70 et 97-109.
2. MASLOW, A., *Motivation and Personality,* 2nd Edition, New York, Harper and Row, 1970 (c. 1954).
3. GREELEY, A., *The Sociology of the Paranormal — A Reconnaissance,* Sage Research Papers, Beverly Hills/London, 1975, p. 65.

# CHAPITRE 5

# Expérience intérieure et religion

Parmi les nombreuses corrélations que l'informatique permet d'établir rapidement à partir des résultats bruts des sondages, il y en a quelques-unes qui présentent un intérêt particulier. Il s'agit notamment des corrélations qui permettent de répondre aux questions suivantes: parmi les sujets qui disent avoir des expériences intérieures intenses, y a-t-il plus de croyants que de non-croyants, y a-t-il plus de pratiquants que de non-pratiquants?

## CROYANTS ET NON-CROYANTS

Examinons d'abord le lien entre le fait d'être croyant ou non-croyant et la fréquence des expériences intérieures intenses, tel que permet de l'établir l'enquête anglaise.

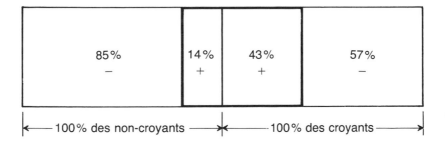

**Figure 1:** *Fréquence chez les croyants et les non-croyants*

Cette figure fait ressortir les faits suivants:

- Les trois-quarts de ceux qui disent avoir vécu une ou plusieurs expériences intérieures intenses se disent croyants (43% contre 14% de non-croyants). On peut donc affirmer que statistiquement, la probabilité de vivre ce type d'expérience est trois fois plus forte si on est croyant que si on est non-croyant.
- Par ailleurs, plus d'un croyant sur deux déclare n'avoir jamais eu de telles expériences (57% contre 43%). Être croyant n'est donc pas une condition suffisante!
- Enfin, sur quatre personnes qui disent avoir vécu une expérience intérieure intense, l'une d'entre elles se déclare non-croyante. Il n'est donc pas nécessaire de croire en Dieu pour vivre de telles expériences.

## PRATIQUANTS ET NON-PRATIQUANTS

Regardons maintenant les corrélations pour les croyants pratiquants et les croyants non-pratiquants.

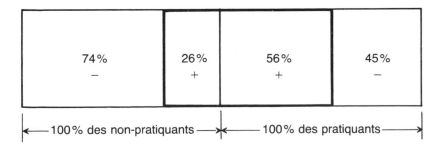

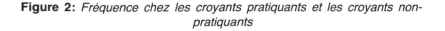

**Figure 2:** *Fréquence chez les croyants pratiquants et les croyants non-pratiquants*

Voici les observations découlant de cette figure:

- Les deux-tiers de ceux qui disent avoir vécu une ou plusieurs expériences intérieures intenses se disent pratiquants (56% contre 26%). Chez les croyants, la probabilité de vivre ce type d'expérience est donc deux fois plus forte si on est pratiquant que si on ne l'est pas.
- Par ailleurs, presque un pratiquant sur deux déclare n'avoir jamais vécu une telle expérience (45% contre 56%). Être pratiquant n'est donc pas une condition suffisante.
- Enfin, sur trois personnes qui déclarent avoir vécu une expérience intérieure intense, l'une d'entre elles dit ne pas être pratiquante. La pratique religieuse n'est donc pas une condition nécessaire pour vivre des expériences de ce type.

On pourrait résumer le tout en trois propositions:

1. L'expérience intérieure intense a nettement tendance à être plus fréquente chez les croyants et les pratiquants.

2. L'expérience intérieure intense ne respecte pas tout à fait les frontières de la foi et de la pratique religieuse.

3. Près de la moitié des pratiquants n'ont jamais vécu d'expérience de ce type.

## DISTRIBUTION «ANORMALE» DE L'EXPÉRIENCE

Si l'on poursuit plus loin notre analyse, on s'aperçoit que si l'expérience intérieure intense est sensiblement plus répandue que plusieurs auraient pu le penser, elle demeure néanmoins un phénomène inhabituel.

La raison qui permet d'affirmer ceci est la forme de la courbe obtenue par la mesure statistique du phénomène en question. Examinons cette courbe.

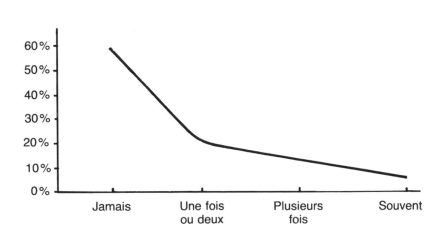

**Figure 3:** *Fréquence générale de l'expérience intérieure intense*

La forme de cette courbe correspond à un phénomène nettement inhabituel, un peu comme pourrait l'être la chasse au castor pour des citadins, par exemple. Si on demandait à mille personnes à quelle fréquence elles vont à la chasse au castor, on risquerait fort d'obtenir une courbe semblable à la nôtre. La plupart répondrait «jamais», beaucoup moins répondraient «une fois ou deux dans ma vie», un certain nombre de chasseurs maniaques répondraient «souvent», et enfin, quelques braconniers se risqueraient peut-être à répondre «toujours»!

Contrairement à ces courbes inhabituelles, les phénomènes «normaux» donnent des courbes symétriques où les «jamais» correspondent aux «toujours», et les «rarement» correspondent aux «souvent».

Ainsi, une enquête sur la fréquence des courses à l'épicerie aurait probablement la forme suivante:

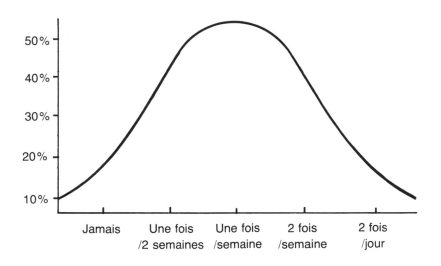

**Figure 4:** *Fréquence normale des courses à l'épicerie*

1. Jamais: «je fais toujours livrer à domicile», ou «ma fille fait mes emplettes pour moi», etc.: 5% de la population.
2. Une fois par deux semaines: «je remplis le frigo et je retourne à l'épicerie quand il est vide»...: 20% de la population.
3. Une fois par semaine: 50% de la population.
4. Deux fois par semaine: un autre 20% de la population
5. Deux fois par jour: «j'habite au-dessus d'une épicerie», «j'aime les choses fraîches», etc.: 5% de la population.

Dans cet exemple, la répartition de la fréquence du phénomène étudié est apparentée à la courbe normale, car les extrêmes s'équilibrent et le gros de la population se retrouve dans la moyenne, alors que dans le cas de l'expérience intérieure intense, le gros de la population se retrouvait entassé dans un seul extrême.

## LES CATHOLIQUES ET L'EXPÉRIENCE INTÉRIEURE INTENSE

Examinons en terminant quelques corrélations spectaculaires entre la fréquence de l'expérience intérieure intense et les différentes religions. Suite au sondage national américain, Greeley donne les chiffres suivants[1]:

**Tableau 4:** *Répartition de l'expérience intérieure intense selon la religion*

| | | |
|---|---|---|
| Autres religions (bouddhistes, églises orientales, etc.): | 45% | répondent positivement |
| Protestants: | 43% | répondent positivement |
| Juifs: | 29% | répondent positivement |
| Sans religion: | 29% | répondent positivement |
| Catholiques: | 24% | répondent positivement |

La moyenne des réponses positives obtenues par Greeley pour l'ensemble de la population américaine étant de 35%, les catholiques arrivent bons derniers, nettement sous la moyenne et derrière les «sans religion», ce qui amenait un collègue de Greeley à commenter malicieusement: «Si vous disposez du droit canon et d'un pape infaillible, peut-être que vous n'avez pas besoin de l'expérience mystique[2]».

## INTRUCTION, REVENU ET EXPÉRIENCE INTÉRIEURE

Avant de commenter davantage le fond de la question, toutefois, il convient de soulever l'hypothèse suivante. On a souvent fait remarquer que les catholiques américains, où la proportion des citoyens d'origine étrangère est forte (Irlandais, Polonais, Italiens...), touchaient des revenus moins élevés que l'élite américaine traditionnelle, qui est de souche anglo-saxonne et protestante, et le même désavantage économique pourrait bien valoir aussi face aux juifs américains.

S'il en était ainsi, nous aurions une explication au moins partielle à la si faible fréquence de l'expérience intérieure intense chez les catholiques, car on constate que cette fréquence augmente avec le revenu.

L'enquête de Greeley présente des indications en ce sens[3], et l'enquête britannique est plus explicite encore. Dans cette dernière, 56% des sujets qui ont étudié jusqu'à vingt ans et plus déclarent avoir vécu une ou des expériences intérieures intenses contre seulement 29% des sujets ayant arrêté d'étudier à quinze ans.

Or, le niveau d'instruction représente généralement un très bon indicateur du niveau de revenu. On doit donc conclure que si, en Angleterre, le fait d'avoir cinq ans de scolarité de plus fait pratiquement doubler la fréquence des expériences intérieures intenses, il pourrait fort bien en aller de même aux États-Unis. Dès lors, si les catholiques américains étaient dans l'ensemble moins instruits et moins riches que leurs concitoyens protestants ou juifs, il serait normal qu'ils déclarent avoir vécu moins d'expériences intérieures intenses également.

Incidemment, si, en affirmant que la religion est l'opium du peuple, Karl Marx entendait par religion les croyances et les pratiques, il avait peut-être raison. Mais s'il parlait de l'expérience intérieure comme telle, il se trouverait contredit par l'enquête britannique. Si l'expérience intérieure intense est un opium, elle est l'opium des élites beaucoup plus que celui du peuple!

Revenons en terminant sur cette question de la rareté relative de l'expérience intérieure intense chez les catholiques américains. Dans la mesure où les variables socio-économiques n'expliqueraient pas tout, il faudrait affirmer que c'est lorsqu'on est catholique qu'on a le moins de chances de vivre une expérience intérieure intense, et qu'à cet égard, mieux vaut ne pas avoir de religion du tout que d'être catholique.

Pour comprendre ces affirmations presque irrespectueuses, il faut prendre en considération le fait que la religion catholique est de toutes les religions du monde celle qui est la plus centralisée, la plus institutionnalisée, et celle qui contrôle le plus sévèrement les consciences et les comportements de ses adeptes.

Nous verrons plus loin comment les personnes qui ont peur de leur intérieur sont portées à valoriser les institutions et le contrôle sous toutes ses formes, et comment les institutions sont portées à recruter des cadres qui présentent eux aussi cette double caractéristique.

Ce phénomène nous renvoie au diagnostic très dur que Jésus portait sur les dirigeants religieux de son époque. Il leur reprochait en effet d'une part de ne pas avoir accès eux-mêmes à la connaissance religieuse intérieure, et d'autre part d'avoir aménagé un style de religion qui faisait diminuer spectaculairement la fréquence de cette expérience. «Malheureux êtes-vous, légistes, vous qui avez pris la clé de la connaissance: vous n'êtes pas entrés vous-mêmes, et ceux qui voulaient entrer, vous les en avez empêchés.» (*Luc, 11, 52*).

Il n'est pas facile de tirer une conclusion claire à la fin de ce chapitre. D'une part, la fréquence de l'expérience intérieure intense semble augmenter avec la foi et la pratique religieuses, mais d'autre part, les «sans religion» semblent vivre ce type d'expérience plus fréquemment que les catholiques (ce qui resterait évidemment à confirmer par des recherches ultérieures).

Pour compliquer le tout, un sondage mené auprès de 3,587 catholiques québécois en 1981 et 1982 vient donner des résultats dont l'interprétation est fort problématique pour nous[5]. Ce sondage démontre en effet que plus le revenu est élevé, plus la pratique religieuse baisse. Or si, comme nous l'affirmions plus haut, la pratique religieuse est reliée à la fréquence de l'expérience intérieure intense, il faudrait s'attendre à ce que soit les gens moins instruits et par conséquent moins riches qui rapportent le plus d'expériences intérieures intenses, mais les chiffres anglais et britanniques affirment l'inverse[6].

Par ailleurs, les statistiques québécoises démontrent une forte corrélation entre l'âge et la pratique religieuse, celle-ci augmentant avec l'âge. Ceci s'accorde mieux aux sondages anglais et américain, qui indiquent pour leur part une bonne corrélation entre l'âge et la fréquence de l'expérience intérieure intense. Si cette fréquence augmente avec l'âge, et si par ailleurs la pratique religieuse augmente aussi avec l'âge, on aurait ainsi une confirmation de la corrélation évoquée plus haut entre la pratique religieuse et l'expérience intérieure intense.

Le caractère partiellement contradictoire de ces différentes interprétations ne permet donc pas pour l'instant de conclusions fermes. Les religions sont associées depuis des millénaires à l'expérience intérieure, mais même dans les sociétés dites avancées, où les religions traditionnelles perdent du terrain, l'expérience intérieure intense continue de surgir librement. De nombreuses recherches seront sans doute encore nécessaires avant de pouvoir situer plus clairement l'une par rapport à l'autre expérience intérieure intense et pratique d'une religion organisée.

1. GREELEY, A., *The Sociology of the Paranormal — A Reconnaissance,* Beverley Hills/London, Sage, 1975, p. 59.
2. GREELEY, *The Sociology...,* page 57.
3. GREELEY, *The Sociology...,* p. 59.
4. HAY, D., MORISY, A., Reports of Ecstatic, Paranormal or Religious Experience in Great Britain and the United States — A Comparison of Trends, *Journal for the Scientific Study of Religion,* 1978, 17(3), p. 258.
5. Ces enquêtes ont été menées par le Centre de sondage de l'Université de Montréal, et les résultats sont parus dans le journal *Le Devoir* du 31 mars 1983 dans un article de Jean-Pierre Proulx intitulé «Les pauvres ont-ils fait de Dieu leur béquille ou leur allié?».
6. Cette analyse présume qu'il n'y a pas de différence significative par rapport au comportement religieux entre des Québécois francophones vivant en 1981-1982 et des Américains ou des Anglais interrogés une dizaine d'années plus tôt, ce qui resterait évidemment à confirmer.

# CHAPITRE 6

# Orientation religieuse et expérience intérieure

À l'occasion de ses études sur les préjugés raciaux, le psychologue américain Gordon Allport a été amené à distinguer entre deux «orientations» fondamentales ou attitudes de base qui seraient à la source du comportement religieux. Il a par la suite nommé ces deux attitudes de base «l'orientation extrinsèque» et «l'orientation intrinsèque».

La religion étant un phénomène complexe et intimement relié à la dynamique affective des gens, il s'ensuit qu'elle peut en venir à remplir des fonctions très distinctes selon les individus. C'est ainsi qu'ayant compilé les résultats de deux enquêtes sur les préjugés raciaux, Allport arrive aux conclusions suivantes: «Les sujets qui étaient considérés les plus fervents, qui étaient les plus impliqués personnellement dans leur religion, étaient beaucoup moins victimes de préjugés que les autres.»

En revanche, «le type d'attachement institutionnel, de nature externe et politique, s'avère associé aux préjugés». Et le chercheur de commenter: «Appartenir à une Église parce qu'elle représente un groupe d'appui sécuritaire, puissant et supérieur, a de bonnes chances d'être le fait des personnalités autoritaires et d'être associé au préjugé». Inversement, le fait d'«appartenir à une Église parce que sa croyance de base en la fraternité exprime les valeurs auxquelles on croit sincèrement, se trouve associé à la tolérance».

C'est pourquoi Allport conclut que «l'approche religieuse 'institutionnalisée' et l'approche religieuse 'intériorisée' ont des effets opposés sur la personnalité»[1].

Ayant continué ses recherches sur le sujet, Allport réaffirmait une quinzaine d'années plus tard cette double fonction de la religion, qui «fait et défait les préjugés»: «Plusieurs recherches établissent clairement que les adeptes de la pratique religieuse manifestent plus de préjugés raciaux que les non-pratiquants. (...) En même temps, plusieurs militants des droits civils sont mus par leur religion. Du Christ à Ghandi et à Martin Luther King, on s'aperçoit que l'absence de préjugés est associée à la ferveur religieuse»[2]. Allport campait ainsi ces deux orientations:

*L'orientation extrinsèque* signifie que la pratique religieuse n'est pas une valeur en elle-même, mais qu'elle a une valeur instrumentale dans la poursuite d'autres objectifs comme la sécurité et le confort, la reconnaissance sociale et parfois même l'intérêt financier (comme pour cet homme qui avouait fréquenter sa communauté chrétienne parce que c'était le meilleur endroit pour vendre des assurances...).

À l'inverse, *l'orientation intrinsèque* considère la foi comme une valeur ultime en elle-même et, dépassant la préoccupation des besoins personnels, se préoccupe à la fois d'autrui et de sa propre unification personnelle.

## ORIENTATION RELIGIEUSE ET FRÉQUENCE DE L'EXPÉRIENCE

Ce qui est plus intéressant pour notre propos, c'est que d'autres chercheurs ont utilisé les questionnaires mis au point par Allport pour mesurer ces deux orientations religieuses, et ont tenté d'établir des liens avec la fréquence de l'expérience religieuse intense.

Par exemple, le psychologue Hood a demandé à cent vingt-trois personnes de remplir le questionnaire de *l'échelle de l'orientation religieuse* d'Allport, et il a ensuite demandé aux vingt-cinq sujets les plus «extrinsèques» et aux vingt-cinq sujets les plus «intrinsèques» de raconter dans une entrevue individuelle leur expérience personnelle la plus significative (ce qui fut fait par vingt-et-un et vingt sujets respectivement).

Une personne, qui ignorait évidemment de quel groupe de sujets chaque entrevue provenait, analysa ensuite les enregistrements de ces entrevues, à l'aide d'une grille qui permettait de distinguer entre les expériences intérieures intenses et les expériences plus conventionnelles, c'est-à-dire n'impliquant ni désorientation dans le temps, ni émotions intenses, ni prise de conscience spéciale, etc. Cette analyse donna les résultats suivants[3]:

**Tableau 5:** *Expériences des sujets extrinsèques et intrinsèques*

|  | SUJETS D'ORIENTATION EXTRINSÈQUE | SUJETS D'ORIENTATION INTRINSÈQUE |
|---|---|---|
| Expérience intense | 3 | 15 |
| Expérience conventionnelle | 18 | 5 |

Quelques années auparavant, le même auteur avait mené une recherche analogue et obtenu des résultats allant dans le même sens[4].

Ces recherches sont très précieuses car elles permettent d'établir un lien statistiquement significatif entre la fréquence des expériences et le genre de dynamique affective des sujets. En effet, des recherches différentes aboutissent aux conclusions suivantes:

— les sujets d'orientation religieuse extrinsèque ont davantage de préjugés (Allport);
— les mêmes sujets ont moins d'expériences religieuses intenses.

Il reste à tirer la conclusion de ce rapprochement et à faire l'hypothèse que les sujets qui ont davantage de préjugés ont moins d'expériences.

Or, depuis les recherches magistrales d'Allport sur la personnalité sujette aux préjugés, nous disposons d'une description assez détaillée du fonctionnement psychologique de ces sujets et nous pouvons donc faire une hypothèse plus précise sur le genre de fonctionnement psychologique qui favorise le moins l'expérience religieuse intense.

## LA PERSONNALITÉ SUJETTE AUX PRÉJUGÉS

Les préjugés sont évidemment chose courante, et chacun a les siens, dans la mesure où chacun est porté à penser comme les gens qui l'entourent, et à percevoir les étrangers ou les gens différents d'une façon stéréotypée.

Mais il arrive que les préjugés soient beaucoup plus reliés à la structure même de la personnalité. Dans de tels cas, tout se passe comme si le moi du sujet n'était pas suffisamment fort pour faire face aux pressions internes (désirs, besoins, émotions) et aux pressions de l'environnement social (relations interpersonnelles, rôles familiaux et professionnels...).

Selon les recherches d'Allport, cette situation fondamentale se traduit par les traits de personnalité suivants, chez les personnes chroniquement victimes de préjugés:

- *répression* des conflits personnels, en relation avec l'agressivité, la sexualité, la culpabilité, etc.;
- *ambivalence face aux parents* qui sont à la fois l'autorité qu'il faut aimer, et l'autorité détestée à cause de ses erreurs et de ses abus;
- *moralisme,* c'est-à-dire une attitude de rigidité par rapport à ceux qui enfreignent les normes (les criminels, les grévistes, les homosexuels, les divorcés...); autant le sujet a de la difficulté à se situer par rapport à ses propres impulsions, autant il devient rigide par rapport à ceux qui dévient des normes sociales, réprimant chez les autres ce qu'il ne peut tolérer en lui-même;

- *tendance à diviser les gens en bons et mauvais,* forts et faibles, femmes pures et putains, bons citoyens et criminels; la difficulté des sujets enclins aux préjugés à assumer les zones de gris dans leur propre personnalité les amène ainsi à accentuer les contrastes chez les autres, ne retenant que leurs bons ou leurs mauvais côtés;
- *besoin de clarté,* découlant de la même difficulté à tolérer l'ambiguïté de sa propre personnalité, et qui amène à imposer de l'ordre là où il n'y en a pas, à retenir des solutions simplistes pour des problèmes complexes, et à préférer le familier à la nouveauté;
- *«externalisation»,* c'est-à-dire tendance à penser que les problèmes et les solutions se situent en dehors de soi, et donc tendance aussi bien à dénoncer des boucs émissaires (les communistes, les féministes, ceux qui ne font plus de religion...), qu'à acclamer des sauveurs (le candidat qui va ramener la loi et l'ordre, la femme au foyer, etc.);
- *centration sur les institutions:* parce qu'elle a grandement besoin d'ordre dans sa propre personnalité mais qu'elle ne veut pas (et souvent ne *peut* pas) reconnaître ce fait, la personnalité sujette aux préjugés est portée à sur-valoriser l'ordre social, symbolisé par l'état, la religion, la famille; elle se montre donc très attachée à ces institutions, qui représentent des îlots de sécurité dans sa dérive personnelle;
- *tendance à recourir à l'autorité,* encore ici dans le but d'éviter de devoir prendre ses propres décisions, ce qui impliquerait un contact menaçant avec sa propre réalité.

## LA PERSONNALITÉ TOLÉRANTE

À l'inverse, la personnalité tolérante présente des caractéristiques beaucoup plus saines, la différence fondamentale étant que cette dernière dispose d'une sécurité de base, alors que la personnalité encline aux préjugés est profondément insécure.

En règle générale, la personnalité tolérante provient d'un milieu familial où elle se sentait aimée et acceptée, et où l'atmosphère était permissive, alors que la personnalité sujette aux préjugés a connu une atmosphère familiale froide et autoritaire, où les impulsions de l'enfant étaient réprimées sévèrement ou d'une façon arbitraire.

Les enfants issus de milieux chaleureux et permissifs ont ainsi pu profiter de ce climat pour intégrer par essais et erreurs la satisfaction de leurs besoins et de leurs désirs aux demandes de l'environnement et aux exigences de leur conscience.

De la sorte, ils ont moins besoin de recourir à la répression et au moralisme, ils peuvent mieux tolérer les tons de gris et les situations ambiguës et complexes, ils ont davantage accès à leur réalité intérieure qui les menace moins et ont moins besoin de recourir aux autorités et aux institutions pour gérer leur propre vie.

Les sujets tolérants sont également portés à être accueillants plutôt que méfiants face à ceux qui sont différents, se sentant stimulés plutôt que menacés par ces différences. Ces sujets retrouvent comme d'instinct la personne humaine au-delà des différences extérieures, alors que pour les sujets portés aux préjugés, qui ont moins accès à leur intérieur et donc à celui d'autrui, ce sont les détails extérieurs qui deviennent déterminants.

Les découvertes récentes sur le lien entre l'orientation religieuse et la fréquence des expériences intérieures intenses étaient donc déjà contenues en germe dans les recherches d'Allport qui écrivait il y a trente ans: «Plusieurs chercheurs ont attiré l'attention sur une orientation intérieure globale chez les personnes tolérantes. Elles sont intéressées aux processus imaginatifs, aux fantaisies, aux réflexions théoriques, aux activités artistiques. À l'opposé, les personnes sujettes aux préjugés sont orientées vers l'extérieur, et portées à extérioriser leurs conflits, et à trouver leur environnement plus intéressant qu'elles-mêmes»[5].

À la fin de son chapitre sur la personnalité disposée aux préjugés, Allport renvoie à deux articles de Maslow sur la personnalité autoritaire et sur la santé psychologique. Ces articles ont été écrits dans les années quarante. Or, une vingtaine d'années plus tard, à l'occasion de ses recherches sur les expériences intérieures intenses, Maslow formulait l'hypothèse du lien entre le type de personnalité et la fréquence des expériences intérieures, hypothèse qui tend à être confirmée de nos jours.

Dans un essai de 1964, Maslow distingue entre les personnes qui vivent des expériences intérieures intenses (ou expériences-sommet), et qu'il appelle «peakers» (de *peak,* sommet), et celles qui n'en vivent jamais, et qu'il appelle les «non peakers».

Tout comme pour la différence entre la personnalité tolérante et la personnalité sujette aux préjugés, la différence fondamentale entre les «peakers» et les «non peakers» est une différence dans la «quantité» de sécurité personnelle dont disposent les sujets.

Pour lui, «le mot 'non peaker' ne désigne pas la personne qui serait incapable d'avoir des expériences-sommet, mais plutôt la personne qui en a peur, qui les réprime, les nie, se détourne d'elles ou les 'oublie'»[6].

C'est ici que Maslow émet l'hypothèse que c'est la structure de leur personnalité qui différencie les «non peakers» des «peakers», et qu'il assimile cette structure à celle de la personnalité étudiée par Allport, Adorno et autres, à savoir une personnalité coupée de ses émotions et de son monde intérieur, centrée sur l'univers de la rationalité ou de la matière et centrée sur les institutions.

Précisons en passant que même si cette hypothèse se trouvait amplement confirmée par de nombreuses recherches, ce qui n'est pas encore le cas, nous ne serions toujours en présence que d'indications statistiques portant sur des sujets différents de l'ensemble de la population, à savoir: les extrêmes des deux côtés d'une échelle.

Il serait par conséquent tout à fait fantaisiste de conclure qu'une personne donnée a telle ou telle structure de personnalité, du simple fait qu'elle affirme avoir eu ou ne pas avoir eu d'expérience intérieure intense. Nous reviendrons d'ailleurs plus loin sur la question des statistiques.

## L'ÉCLAIRAGE SUR LES RELIGIONS

Les développements qui précèdent permettent de jeter un peu de lumière sur le phénomène par ailleurs fort complexe des religions. Utilisant ces concepts pour comprendre la genèse et l'évolution des religions, Maslow émet l'hypothèse que les fondateurs de religions sont des «peakers», c'est-à-dire des prophètes qui ont vécu des expériences intenses d'illumination et qui ont par la suite tenté d'initier d'autres personnes à ces découvertes en essayant de favoriser chez elles des expériences analogues.

Mais à mesure que les religions ont pris de l'âge et se sont structurées, ce sont les «non peakers» qui ont pris la relève, c'est-à-dire des ecclésiastiques davantage centrés sur les normes, les autorités et l'institution que sur leur monde intérieur. Ce phénomène a pour effet de mettre en danger la visée originale de la religion, qui était de favoriser l'expérience intérieure et ses effets transformateurs sur la façon dont vivent les gens.

En effet, il est déjà difficile de partager son expérience intérieure avec quelqu'un qui en a déjà vécu une semblable. Cette difficulté s'accroît considérablement lorsque l'interlocuteur est un «non peaker». Mais la difficulté atteint son comble lorsque c'est un ecclésiastique «non peaker» qui tente de communiquer le «peak» de quelqu'un d'autre à des paroissiens «non peakers»! Nous illustrerons ce phénomène au chapitre suivant avec le cas de Jésus.

1. ALLPORT, G., *The Nature of Prejudice,* Abridged Edition, New York, Doubleday and Company, 1958 (c. 1954), pp. 421-422.
2. ALLPORT, G., Traits revisited, *American Psychologist,* 21 (1), 1966, p. 5.
3. HOOD, R., *Religious Orientation and the Experience of Transcendance, Journal for the Scientific Study of Religion,* 12, 1973, pp. 441-448.
4. HOOD, R., Religious Orientation and the Report of Religious Experience, *Journal for the Scientific Study of Religion,* 9 (4), 1970. pp. 285-291.
5. ALLPORT, G., *The Nature...,* p. 409, pour tous ces développements, voir pp. 371-384 et 398-412.
6. MASLOW, A., *Religions, Values and Peak-Experiences,* Penguin Books, 1976 (c. 1964), p. 22.

# CHAPITRE 7

# Jésus et l'expérience intérieure

Les réflexions de Maslow avec lesquelles nous avons conclu le chapitre précédent permettent de penser que le danger le plus grave qui menace une religion n'est ni l'hérésie, ni les persécutions, ni la baisse de la pratique religieuse, ni le relâchement des moeurs. Le danger qui peut venir asphyxier la religion dans son centre vital, c'est la mainmise des «non peakers», c'est-à-dire des personnalités figées dans les traditions, réfugiées dans l'obéissance à des autorités réputées infaillibles, et centrées sur les institutions perçues comme la seule barque capable de les sauver du naufrage.

La lecture des Évangiles nous montre combien Jésus était conscient de cette asphyxie qui avait atteint la religion de son époque, et pourquoi il tenait les autorités religieuses responsables de cette mort lente.

## UN MIROIR CRUEL

Avec la parabole du fils prodigue, Jésus braque un miroir cruel sur ces autorités et leurs défenseurs, en leur renvoyant l'image de leur fonctionnement psychologique.

Traditionnellement, ce passage de *l'Évangile de Luc* était intitulé «La parabole du fils prodigue», mais on s'est aperçu que dans ce texte, ce n'est pas vraiment sur le fils que les projecteurs sont braqués. On a alors proposé de changer le titre pour «La parabole du père miséricordieux».

En y regardant de plus près, cependant, et là-dessus la finale est très claire, ce n'est pas sur le père non plus que les projecteurs sont braqués, mais bien sur le frère aîné. Le «film» se termine en effet sur un gros plan du fils aîné qui n'a pas pris sa décision, et la caméra recule lentement pour couper l'image et laisser chaque spectateur repartir en se demandant si oui ou non le frère aîné se laissera aller à l'inédit de la fête.

Dès lors, si on pouvait se permettre un titre long, il faudrait parler de «La parabole du fils qui ne voulait jamais manquer son coup et qui était en train de manquer sa vie».

Le message que Jésus essaie de communiquer aux autorités religieuses et à ceux de ses auditeurs qui se rangent derrière elles semble en effet le suivant: Vous privilégiez comme le fils aîné une façon de vivre qui a pour effet de vous couper de vous-mêmes, de vos désirs et aspirations, de votre souffrance mais aussi de votre joie, de votre insécurité mais aussi de l'apprentissage de votre humanité...

En termes plus religieux, le même message pourrait se formuler comme suit: On peut vivre d'une façon irréprochable au plan de la morale et de la religion comme le fils aîné, mais utiliser la morale et la religion pour tenir Dieu à distance et l'empêcher de faire surface dans sa vie (comme le fils aîné tenait son père à distance et se réfugiait dans un travail correctement accompli).

Dans ce sens, Jésus fait dire au père: «Tu es toujours avec moi, et tout ce qui est à moi est à toi.» (*Luc 15, 31*) En d'autres mots: Je ne demande pas mieux que de partager avec toi tout ce que je suis et tout ce que j'ai, mais tu t'empêches de vivre cette intimité entre nous et tu ne te laisses jamais aller à fêter un peu avec tes amis...

L'essentiel n'est pas de toujours respecter les normes, ni de se perdre dans son travail ( «Voilà tant d'années que je te sers, sans avoir jamais désobéi à tes ordres...» - *verset 29*). L'essentiel, c'est de se permettre de vivre, et d'accepter que les autres s'y essaient aussi, fût-ce avec des moyens différents. En s'essayant à vivre, on peut faire des erreurs, mais Dieu (le père des deux garçons) ne semble pas faire grand cas de ces erreurs.

## AUTRES PASSAGES CONVERGENTS

Cette lecture de la parabole de Luc rejoint plusieurs autres textes qui reprennent le même message de différentes façons. «Qui aime sa vie la perd, et qui hait sa vie en ce monde la conservera en vie éternelle.» (*Jean, 12, 25*): les obsédés du contrôle et de la sécurité vont passer à côté, tandis que ceux qui sont libres face à leur vie (le sens de «haïr»), ceux qui acceptent les dégâts, les erreurs, les échecs partiels, ceux-là auront une vie féconde.

«Pris de peur, je suis allé cacher ton talent dans la terre...» (*Matthieu 25, 25*): par insécurité, je me suis empêché de vivre, j'avais tellement peur de manquer mon coup! J'ai réprimé tout ce qui aurait voulu faire surface au grand jour, parce que je perçois Dieu comme un maître sévère qui ne pardonne pas les erreurs: «Maître, je savais que tu es un homme dur...» (*verset 24*).

Avec cette dernière parabole, Jésus présente un Dieu qui veut que les gens prennent des risques, parce qu'il veut que les gens soient féconds, et il sait que la fécondité ne peut s'obtenir que par essais et erreurs. Encore ici, Jésus est donc critique envers les adeptes de la sécurité à tout prix.

«Cherchez et vous trouverez.» (*Matthieu 7, 7*): mettez-vous en cheminement, en recherche, remettez-vous en question, et vous ferez alors des prises de conscience qui vous aideront à grandir, qui vous feront accéder à votre fécondité. Assumez le risque d'un questionnement, si vous voulez cesser de tourner en rond dans vos vieilles sécurités...

J'ai examiné ailleurs le passage de l'Évangile où à mon avis Jésus fait sa critique la plus serrée des figures religieuses dominantes de son temps, et j'ai fait ressortir les correspondances systématiques entre cette critique et les caractéristiques des «non peakers» présentées par Maslow[1].

Pour Jésus, la religion des Pharisiens procure deux types de bénéfices psychologiques non négligeables: d'une part, elle permet d'éviter l'inconfort du contact avec soi («C'est l'extérieur de la coupe et du plat que vous purifiez, mais votre intérieur est rempli de rapacité et de méchanceté.» - *Luc, 11, 39*), et d'autre part, elle procure beaucoup de prestige dans la communauté («Vous aimez le premier siège dans les synagogues et les salutations sur les places publiques.» — *verset 43).*

Avec cette critique de la religion par Jésus et les indications sur le genre de religion que lui-même privilégie, on rejoint en droite ligne la distinction d'Allport entre l'orientation religieuse extrinsèque (centrée sur les bénéfices psychologiques immédiats) et l'orientation religieuse intrinsèque (centrée sur la croissance des sujets et sur leur fécondité sociale).

## DIMENSION POLITIQUE DE L'AFFRONTEMENT

Le conflit que Jésus a vécu avec les autorités de son temps et qui allait le perdre a donc des racines religieuses évidentes. Ce conflit présente également une dimension politique qui m'apparaît indéniable elle aussi, même si celle-ci est trop complexe pour qu'on l'examine en détail ici.

On a vu plus haut que les sujets qui ont une orientation religieuse intrinsèque ont plutôt une personnalité tolérante, contrairement aux adeptes d'une orientation religieuse extrinsèque, qui eux ont plutôt une structure de personnalité intolérante. Or, Allport fait remarquer que, bien souvent, les personnalités tolérantes tolèrent tout... sauf l'intolérance! Ces personnes sont en effet particulièrement sensibles à toute forme d'exclusion, de sexisme, de discrimination entre riches et pauvres ou toute autre forme de séparation entre «bons» et «méchants».

À cet égard, c'est la façon même dont la société de son époque était aménagée que Jésus remettait ouvertement en question par son attitude d'accueil à l'endroit des minorités sociales de son temps: malades, pécheurs, enfants, étrangers, femmes.

D'une part, Jésus ne tolère pas l'intolérance qui structure la société de son temps et qui dépouille les minorités de tout pouvoir, et d'autre part les autorités ne tolèrent pas sa liberté. Jésus, en effet, relativise toutes les normes. Or, pour une personnalité intolérante, une norme relativisée est une norme qui ne protège plus, parce que cette brèche introduit trop d'imprévisible, et donc trop d'anxiété.

Le témoignage suivant illustre bien ce phénomène d'opposition chronique entre «peakers» et «non peakers». «(Après mes expériences intenses) mon mari ne me reconnaissait plus, ce qui a entraîné entre nous des réajustements. De plus, dans un mouvement d'Église où les membres sont en majorité conformistes, ou axés sur les techniques à utiliser, qui refusent l'intériorisation et qui cherchent à contrôler chaque membre, une personne comme moi ne peut plus être elle-même. Je vis présentement une situation de rupture car dans mes deux engagements, c'est le même animateur spirituel. Il ne me reproche pas mon travail, mais ma façon de sentir, d'être, mon goût pour l'intériorisation, et mon manque de soumission, *il ne peut pas me contrôler.* J'ai essayé de m'adapter, mais je ne peux pas le faire au point de marcher contre mes convictions profondes. C'est vrai que notre vision du monde est différente...»

Nous reviendrons plus en détail sur cette question au chapitre 14, mais nous pouvons identifier dès maintenant le côté politiquement subversif du «peaker». Celui-ci est porté à agir à partir de ce qu'il ressent dans une situation, plutôt qu'à partir des mots d'ordre des autorités ou des convenances. Dans cette mesure, il y a un germe de conflit entre les «peakers» qui sont en faveur de l'autonomie pour eux et pour les autres, et les autorités politiques ou religieuses qui sont portées à imposer leur contrôle sur leurs concitoyens ou leurs coreligionnaires.

## LE DÉVELOPPEMENT DE LA SÉCURITÉ

Dans tout ce qui précède, il n'a pas été question des expériences intérieures comme telles. Ce qui sépare les «peakers» et les «non peakers», ce n'est pas d'abord et avant tout le fait que les premiers aient vécu des expériences que les autres n'ont pas connues.

Comme le montre très bien le témoignage que nous venons de voir, c'est beaucoup plus la différence de fonctionnement psychologique qui provoque les frictions chroniques entre ces deux types de personnes. Jésus dira ainsi aux Pharisiens: Vous ne pouvez pas fonctionner avec les gens qui sont du type prophète plutôt que d'être du type ecclésiastique... (*Luc 11, 47ss.*)

Jésus ne reproche pas aux Pharisiens de ne pas avoir eu d'expériences intérieures, dans la mesure où pour lui, la personne n'a pas de prise directe sur ces expériences, qui sont plutôt suscitées par Dieu, comme on le verra plus bas.

Jésus ne peut pas reprocher non plus aux Pharisiens leur insécurité personnelle, dans la mesure, là encore, où on n'a pas de prise directe sur ses états émotifs. On peut décider de faire différentes choses quand on est triste ou qu'on a peur, mais on ne peut pas *décider* de ne pas être triste ou de ne pas avoir peur.

Mais la sécurité et l'insécurité ne sont pas des absolus; il n'y a pas d'une part des personnes qui sont totalement en sécurité dans tous les genres de situation, et d'autre part des personnes qui ont toujours peur de tout.

La sécurité est inégalement répartie entre les humains, mais chacun en a une part. Et vivre, c'est utiliser le peu de sécurité dont on dispose pour s'explorer un peu soi-même et explorer un peu son environnement immédiat, un peu comme le renardeau sortant du terrier pour la première fois et qui est effrayé par la première feuille agitée par le vent, mais qui se risque progressivement de plus en plus loin.

C'est exactement cette dynamique que Jésus évoque dans sa parabole des talents: à chacun a été confiée une dose variable de sécurité, que chacun est invité à développer à son rythme. Et c'est exactement dans ce sens-là aussi qu'Allport estime que «le développement de personnalités mûres et démocratiques est largement une question de bâtir sa sécurité intérieure»[2].

C'est dans ce sens que Jésus confronte les Pharisiens au défi de leur croissance, et qu'il invite ceux qui l'écoutent à bâtir peu à peu cette sécurité qui leur permettra de devenir pleinement eux-mêmes. «Ne vous inquiétez pas pour le lendemain...» (*Matthieu 6, 25, 34*).

Même si Jésus laisse clairement entendre que l'accroissement de la sécurité est une démarche déterminante, il apparaît également convaincu de la valeur de l'expérience intérieure. Et plus précisément, Jésus se montre sensible au fait que cette expérience a un effet de révélation.

## LES EXPÉRIENCES DE JÉSUS

Il y a un passage de l'Évangile qui nous laisse entendre que Jésus aurait vécu une expérience intérieure intense alors qu'il s'émerveillait de la qualité des prises de conscience faites par certaines personnes. «À l'instant même, il tressaillit de joie sous l'action de l'Esprit Saint et dit: 'Je te loue, Père, Seigneur du ciel et de la terre, d'avoir caché cela aux sages et aux intelligents et de l'avoir révélé aux tout petits'. (*Luc 10, 21*)

Nous avons ici, condensé en quelques lignes, le récit d'une expérience qui présente plusieurs des caractéristiques les plus fréquemment utilisées dans l'enquête de Greeley pour décrire l'expérience intérieure intense (voir pages 50-51):
- «Une expérience d'une forte intensité émotive»: «Il tressaillit»;
- «Un sentiment de joie»: «Il tressaillit de joie»;
- «La sensation d'être envahi par quelque chose de

beaucoup plus puissant que soi»: «Sous l'action de
l'Esprit Saint»;
— «Le sentiment de l'unité de toutes choses»: ce sentiment que les événements de l'histoire sont intégrés
dans une cohérence englobante est reflété dans les
mots qui suivent immédiatement: «Oui, Père, c'est
ainsi que tu en as disposé dans ta bienveillance.»

De plus, ce passage se situe dans les perspectives de
l'affrontement chronique entre Jésus et ses opposants religieux, que je regroupe pour une raison pratique sous le terme de *Pharisiens.* On retrouve ici en effet l'opposition qui
revient sans cesse dans l'Évangile entre les puissants et les
habiles, qui sont identifiés huit fois sur dix aux Pharisiens,
et les petits et les faibles: les premiers seront les derniers
et vice-versa, les puissants sont détrônés et les faibles exal-
tés, ceux qui se perdent se trouvent et ceux qui sont sûrs
d'eux-mêmes se perdent, etc.

Il y a ici plusieurs affirmations plus ou moins explicites
de la part de Jésus:

— Il y a des prises de conscience que «les sages et les
intelligents» sont incapables de faire.
— Ces prises de conscience ne sont pas de l'ordre des
connaissances théologiques et des raisonnements lo-
giques (elles ne sont pas une question de sagesse
ou d'intelligence).
— Ces prises de conscience sont seulement accessibles aux personnes qui se situent dans une dynamique opposée à celle des sages et des puissants
(les Pharisiens). En termes techniques, il s'agit donc
ici de ceux qui ont une personnalité tolérante, et qui
utilisent la religion pour s'ouvrir et grandir.
— C'est avec joie qu'un «peaker» découvre ses affinités
avec d'autres «peakers».

Cette accumulation d'indices nous aide à soupçonner le
rôle des expériences intérieures intenses dans la vie de Jésus, même si les Évangiles nous fournissent peu de maté-
riaux à cet effet.

## L'EXPÉRIENCE DE LA TRANSFIGURATION

Nous reviendrons brièvement au chapitre suivant sur l'expérience intense vécue par Jésus au moment de son baptême. Terminons pour l'instant ce chapitre par quelques observations sur l'expérience de la Transfiguration.

Certains commentateurs estiment que le récit de la Transfiguration a comme fonction une double préparation à la mort de Jésus. D'une part, au niveau historique, il aurait eu comme fonction de préparer les disciples à la mort de leur maître en leur confirmant que celui-ci était vraiment en contact étroit avec Dieu.

D'autre part, ce récit aurait une fonction analogue, mais à l'intention cette fois des lecteurs de l'Évangile: L'épisode scandaleux de la mise à mort du Fils de Dieu se trouve dé-dramatisé d'une part par la Résurrection qui suit, et d'autre part par la Transfiguration qui précède.

À la lumière de ce qu'on sait sur l'expérience intérieure intense, il faut peut-être aller plus loin et dire que l'épisode de la Transfiguration se présente en fait comme une expérience destinée à préparer Jésus lui-même à sa propre mort.

Nous sommes évidemment réduits à des hypothèses, mais ce qui a joué pour de nombreux sujets a pu jouer également pour Jésus, notamment les caractéristiques suivantes mentionnées par Greeley:

- «Le sentiment d'être baigné dans la lumière»;
- «Un sentiment de paix profonde»;
- «Le sentiment de devoir faire sa part pour les autres» (Jésus dirait: de vouloir «donner sa vie pour ceux qu'on aime»);
- «La confiance dans sa survie personnelle»;
- «La sensation d'être envahi par quelque chose de beaucoup plus puissant que soi»;
- «Le sentiment d'une très grande expansion personnelle, soit psychologique ou physique».

Cette expérience ressemblerait donc à celles que nous avons examinées plus haut (pp. 44-46) et qui avaient pour fonction de préparer le sujet à vivre quelque chose de difficile, en le confirmant dans son intégrité au sein d'une cohérence mystérieuse.

Souvenons-nous du témoignage du sujet qui disait, suite au décès de son père auquel son expérience l'avait préparé: «J'avais la sensation d'avoir vécu dans les semaines précédentes une relation père-fils tellement extraordinaire que maintenant, il pouvait partir comme il l'a fait. C'était pour moi le maximum d'une relation père-fils.»

Avec deux modifications mineures, ces paroles pourraient décrire l'impact de l'expérience vécue par Jésus: «J'avais la sensation d'avoir vécu dans les semaines précédentes une relation père-fils tellement extraordinaire, que maintenant, *je* pouvais partir comme *j'avais à le faire.* C'était pour moi le maximum d'une relation père-fils.»

Cette reconstitution demeure conjecturale, mais elle mérite sans doute sa place parmi les multiples autres qui ont été proposées jusqu'ici.

---

1. HÉTU, J.-L., *Croissance humaine et instinct spirituel — Une réflexion sur la croissance humaine à partir de la psychologie existentialiste et de la tradition judéo-chrétienne,* Montréal, Leméac, 1980, pp. 27ss.
2. ALLPORT, G., *The nature of Prejudice,* Abridged Edition, New York, Doubleday and Company, 1958 (c. 1954), p. 411.

# CHAPITRE 8

# L'expérience intérieure chez Paul

Quelques passages des *Lettres de Paul* peuvent être interprétés dans la perspective de l'expérience intérieure intense. Nous examinerons deux de ces passages, de manière à recueillir la lumière que ces écrits peuvent projeter sur ce type d'expérience.

## UNE EXPÉRIENCE LIBÉRATRICE

Le premier de ces passages se retrouve dans la première moitié du chapitre 8 de la *Lettre aux Romains,* et plus précisément au verset 15, où Paul écrit: «Vous n'avez pas reçu un esprit qui vous rende esclaves et vous ramène à la peur, mais un Esprit qui fait de vous des fils adoptifs et par lequel nous crions: Abba, Père».

Ce passage reçoit des interprétations très variées. Paul ferait référence ici à l'Esprit reçu au moment du baptême, et le cri dont il est question pourrait signifier soit un cri fort, comme dans des incantations, soit la proclamation du témoignage biblique, soit encore un cri poussé dans un moment d'extase[1]. Incidemment, les psychologues et les sociologues qui étudient l'expérience intérieure intense désignent fréquemment celle-ci comme une «expérience extatique».

Pour d'autres, le terme grec utilisé par Paul renverrait à une foule de termes hébraïques désignant l'expérience plus habituelle de la prière, et plus précisément un appel urgent à Dieu, comme dans beaucoup de psaumes[2].

Pour d'autres encore, Paul ferait référence à un contexte de «revival» ou de réunion charismatique où les défenses et les inhibitions des sujets se relâchent suffisamment pour amener la vie intérieure «beaucoup plus près de la surface qu'en temps ordinaire»[3].

## L'EXPÉRIENCE DE JÉSUS

Le terme «Abba» utilisé ici renvoie par ailleurs à un phénomène très éclairant. Contrairement aux usages du temps, Jésus avait pris l'initiative d'utiliser ce terme, qui signifie «papa», pour évoquer l'expérience qu'il faisait du divin. Selon un spécialiste de la question, cette pratique de Jésus exprime clairement la différence entre le niveau de conscience où Jésus se situait dans son expérience de prière, et le niveau de conscience caractéristique de la prière conventionnelle de son entourage[4].

Nous avons justement examiné au chapitre précédent un passage de l'Évangile où Luc écrit que l'Esprit fait tressaillir Jésus, faisant monter le mot «Père» qui vient exprimer ce niveau de conscience atteint à ce moment.

Parmi les expressions utilisées par les sujets pour décrire leur expérience intérieure intense[5], celles qui conviendraient le mieux pour évoquer celle de Jésus seraient peut-être les suivantes:

- un profond sentiment de paix et de joie;
- la conviction que l'amour est au coeur de tout;
- un grand accroissement de la compréhension et de la connaissance;
- le sentiment de l'unité de toutes choses et le sentiment d'avoir sa place dans ce tout;
- le sentiment d'être pris en charge par quelque chose de beaucoup plus puissant que soi.

Or, il est probable que les disciples de Jésus aient repris par la suite la même expression d'«Abba» pour évoquer les expériences intérieures lors desquelles ils atteignaient à leur tour ce niveau de conscience atteint par Jésus et auquel il avait tenté de les initier[6].

## EXPÉRIENCE INTÉRIEURE ET VIE CHRÉTIENNE

Pour ces disciples, la vie chrétienne ne consistait plus dès lors qu'à vivre de plus en plus à partir des prises de conscience faites lors de ces expériences d'illumination et de conversion, du moins s'il faut en croire un commentateur[7].

Plusieurs théologiens seraient probablement en désaccord avec cette dernière définition de la vie chrétienne, et le problème de la relation entre l'expérience intérieure et les religions constituées est effectivement fort complexe. Bien qu'il prenne l'expérience intérieure sous son angle plutôt «émotif et non-rationnel», l'auteur suivant adopte quand même une position ouverte sur la question, et nous terminerons cette première partie en lui laissant la parole.

«Paul ne fonde pas sa foi sur ce qu'on appelle 'l'expérience religieuse' du genre émotif et non-rationnel, mais il fait volontiers appel à la valeur de confirmation que ce type d'expérience peut revêtir pour le sujet qui la vit.» En d'autres termes, ce type d'expérience n'est pas le tout ni même l'essentiel de la foi chrétienne, mais il n'en exerce pas moins un impact certain sur celui qui le vit.

Les lignes qui suivent immédiatement cette première réflexion permettent de penser que l'exégète Dodd a bien saisi la dynamique de l'expérience intérieure. «Le fait que quelqu'un se sente intérieurement possédé par le sentiment de la proximité et de la protection amoureuse de Dieu au point qu'il soit comme involontairement amené à crier 'Père', ce fait revêt un poids certain lorsque le sujet en vient à rendre compte de l'univers spirituel dans lequel il vit.[8]»

## LES INITIÉS ET LES NON-INITIÉS

Examinons maintenant un passage de la *Première Lettre aux Corinthiens* que nous retrouvons aux derniers versets du chapitre 2. Comme dans *Romains 8,* il est question ici aussi d'une expérience d'illumination qui vient rendre le sujet capable de saisir de l'intérieur le sens des choses, contrairement à ceux qui n'ont pas vécu ce genre d'expérience.

«C'est ce que l'oeil n'a pas vu, ce que l'oreille n'a pas entendu, et ce qui n'est pas monté au coeur de l'homme, tout ce que Dieu a préparé pour ceux qui l'aiment. En effet, c'est à nous que Dieu l'a révélé par l'Esprit.» (...)

«L'homme naturel n'accepte pas ce qui vient de l'Esprit de Dieu. C'est une folie pour lui, il ne peut le comprendre, car c'est spirituellement qu'on en juge. L'homme spirituel, au contraire, juge de tout et n'est lui-même jugé par personne.» (*1 Corinthiens 2, 9-10 et 14-15*)

Paul distingue ici entre ceux qui ont accès à l'expérience intérieure (les «spirituels») et ceux qui n'y ont pas accès, (les «naturels»), ce qui semble correspondre à la distinction faite par Maslow entre les «peakers» et les «non peakers».

Un exégète décrit cet «homme naturel» comme «quelqu'un qui n'a pas reçu l'Esprit Saint. Ses ressources naturelles, par exemple ses ressources intellectuelles, sont ou peuvent être complètes; il n'est pas 'un mauvais homme', ou un insensé ou un être irréligieux. Mais n'ayant pas l'Esprit de Dieu, il ne peut pas saisir les vérités spirituelles...»[9].

Pour Maslow et pour d'autres chercheurs qui l'ont suivi, les modalités de la connaissance lors de l'expérience intérieure intense diffèrent du fonctionnement cognitif habituel. Chrysostome, un auteur chrétien du quatrième siècle, a ainsi commenté ce phénomène: «L'homme naturel et l'homme spirituel sont comme l'aveugle et le voyant; le voyant voit tout ce qui se rapporte à l'aveugle, mais l'aveugle ne connaît pas le monde du voyant.»

Maslow estime qu'il est difficile pour un «peaker» de partager ses expériences intérieures intenses avec un «non peaker». Sur un registre religieux, un auteur décrit ainsi ce phénomène: «Il serait inutile de tenter d'expliquer des vérités spirituelles à quelqu'un qui ne serait pas un homme spirituel (c'est-à-dire à un homme qui n'aurait pas reçu l'Esprit Saint). L'homme naturel ne reçoit pas les vérités révélées par l'Esprit de Dieu[10]».

## CHRÉTIENS ET NON-CHRÉTIENS

Ce serait cependant une erreur d'assimiler sans plus les chrétiens aux «peakers» ou aux «hommes spirituels», et les non-chrétiens aux «non peakers» ou aux «hommes naturels». Cette erreur, beaucoup d'auteurs la commettent, par exemple en affirmant sans plus que «le chrétien a la vraie connaissance[11]».

Cette position serait d'ailleurs démentie par Paul lui-même, qui s'était bien aperçu que le baptême chrétien ne suffit pas à lui seul à transformer la personnalité: «Pour moi, frères, je n'ai pu vous parler comme à des hommes spirituels, mais comme à des hommes naturels, comme à des petits enfants dans le Christ. C'est du lait que je vous ai donné à boire, non une nourriture solide; vous ne pouviez encore la supporter. Mais vous ne le pouvez pas davantage maintenant...» (1 Corinthiens, 3, 1-2).

En principe, les chrétiens ont reçu au baptême l'Esprit qui devrait les faire accéder au niveau de conscience des «peakers» ou des «hommes spirituels». En pratique, toutefois, ils continuent pour un certain temps — et plusieurs pour toute leur vie! — à fonctionner comme des «non peakers», comme des être «naturels» qui ne «peuvent supporter» le langage des «peakers» ou des «hommes spirituels», comme le dit Paul.

Maslow affirme qu'il n'y a pas de différence de nature mais seulement une différence de degré entre un «peaker» et un «non peaker». On est ici dans une question de plus ou moins: le «peaker» dispose de plus de sécurité intérieure, ce qui lui permet de se contrôler moins et de s'ouvrir davantage à l'expérience qui surgit.

## LA CROISSANCE DES «NON PEAKERS»

Ce qui permet de passer du statut de «non peaker» à celui de «peaker», ce pourrait donc être alors une question de croissance personnelle, étant donné que le fait de développer ses ressources personnelles permet automatiquement au sujet d'être plus sûr de lui. Paul n'est pas aussi explicite mais il se situe spontanément lui aussi dans une perspective de croissance, lorsqu'il oppose le «lait» qu'on donne aux petits enfants à la «nourriture solide» qu'on donne aux adultes.

Ce facteur de croissance est très important, car si on en fait abstraction, certaines affirmations théologiques deviennent tout à fait irréalistes, telles la suivante: «Lorsque l'Esprit entre dans la vie de quelqu'un tout est changé[12].», ou encore: «Le croyant est complètement sous l'influence de l'Esprit, l'homme naturel est tellement privé de cette influence qu'il ne peut même pas voir les choses de l'Esprit...[13]», ou enfin: «Le chrétien, par définition, possède l'Esprit.[14]».

Une telle affirmation peut être valide si elle signifie qu'il existe des facteurs mystérieux (que les croyants interprètent religieusement) qui peuvent avoir des effets spectaculaires sur l'ensemble du fonctionnement du sujet. Ce qui devient toutefois périlleux, c'est de penser sans plus que cet Esprit est reçu automatiquement au baptême, de sorte que la vie des chrétiens présente une qualité différente de celle des non-baptisés.

À ce sujet, les observations de Paul apparaissent plus réalistes — et plus en conformité avec les sondages aussi! — lorsqu'il remarque qu'il y a des chrétiens dûment baptisés et pratiquants chez lesquels on ne relève aucune des caractéristiques des «peakers». À cet égard, un auteur fait remarquer à bon droit que «ceux que vise Paul ne sont pas des chrétiens commençants, mais des chrétiens *restés* commençants[15]», c'est-à-dire qui se sont arrêtés dans leur croissance.

Paul distingue ainsi trois catégories de sujets:

- les «hommes naturels» (ou «non peakers») qui «n'acceptent pas ce qui vient de l'Esprit de Dieu»;
- les «enfants dans la foi», qui «ne supportent pas» le langage de ceux «qui ont l'Esprit de Dieu»;
- les «hommes spirituels» (ou «peakers»).

Il existe peut-être des distinctions importantes pour un théologien entre un baptisé et un non-baptisé, et Paul, à plusieurs endroits, apparaît lui-même convaincu que les chrétiens ont reçu l'Esprit (*1 Co 3, 16; 6, 11; 12, 13*). Mais au plan des comportements, Paul doit bien constater que le statut de baptisé n'entraîne pas de changements nécessaires chez les sujets en cause.

## LA SAGESSE ET LA FOLIE

Essayons de préciser en terminant la différence fondamentale entre «peakers» et «non peakers», à partir de cette lettre de Paul. En *1 Corinthiens 2, 14,* Paul affirme que le «non peaker» perçoit comme une «folie» ce qui est au centre de l'expérience du «peaker». Le «non peaker» juge insensée la sagesse du «peaker», cette sagesse que Paul présente ainsi: «Le langage de la croix, en effet, est folie pour ceux qui se perdent, mais pour ceux qui sont en train d'être sauvés, pour nous, il est puissance de Dieu.» (*1 Co 1, 18*).

Ce «langage de la croix» nous amène à la distinction faite plus haut entre les trois types de personnes:

- les «hommes naturels» centrés sur le rendement immédiat[16], et qui sont complètement fermés au langage de la croix;

- les «enfants dans la foi», à qui Paul s'est risqué à parler de Jésus crucifié, en sentant que son discours ne passait pas facilement (voir *1 Co 2, 1-5*);
- les «hommes spirituels», qui eux, sont tout à fait ouverts au langage de la croix.

La catégorie intermédiaire entre les «naturels» et les «spirituels» semble abriter des sujets en équilibre instable, qui tolèrent qu'on leur parle de Jésus crucifié mais qui «ne supportent pas» qu'on leur tienne longtemps ce langage.

Tout se passe comme si certains «non peakers» de la première catégorie étaient prêts à admettre le *principe* d'un langage religieux, mais n'étaient pas prêts à supporter que ce langage ait quelque chose de significatif à dire sur la réalité humaine.

## CROYANCES RELIGIEUSES ET VALEURS SPIRITUELLES

La raison précise pour laquelle le «langage de la croix» est intolérable pour un «non peaker», c'est que ce langage parle d'une façon alternative de vivre, ce qui suppose un changement de conscience qui ne s'est pas produit chez le «non peaker».

Un commentateur écrit ainsi: «L'Esprit de Dieu est l'Esprit du Christ crucifié, et la sagesse enseignée par l'Esprit est le langage de la croix (1, 18), et pour l'homme naturel, ceci est de la folie, car *ce langage inverse les valeurs à partir desquelles il vit*[17]» (c'est moi qui souligne).

Rappelons-nous comment les toutes premières lignes de ce volume présentaient ce phénomène d'inversion des valeurs consécutif à une expérience intérieure intense: «Et de fait, le changement est spectaculaire: dans ses valeurs, l'argent, le prestige, le confort, le pouvoir, ont cédé la place à la simplicité de vie, au partage, à l'attention envers les personnes...» (p. 11).

Dès lors, ce qui distingue foncièrement un «non pea-ker» d'un «peaker» ce n'est pas la présence ou l'absence du discours religieux. Certains «non peakers» peuvent faire un usage abondant de ce discours, étant par exemple sin-cèrement convaincus que Jésus a été crucifié «parce qu'il fallait qu'un Dieu meure pour nous racheter»‘.

Loin d'être une folie, ce discours peut leur apparaître au contraire parfaitement sensé et acceptable. Ce qui leur ap-paraît par contre tout à fait insensé, c'est l'inversion des valeurs, comme le fait qu'un collègue avocat ou médecin consacre une heure complète à un client ou un patient, et ce, pour les mêmes honoraires, ou encore, consacre béné-volement quinze heures par semaine à un organisme huma-nitaire, alors qu'il pourrait utiliser beaucoup plus «intelligem-ment» ses loisirs.

Encore une fois, ce qui fait problème au «non peaker», ce ne sont pas les croyances religieuses, mais comme l'écrivent deux autres auteurs, «les prises de conscience sur la signification de l'Évangile, et l'application de cet esprit de l'Évangile à tous les secteurs problématiques de la vie[18]».

Ceci termine notre réflexion sur l'expérience intérieure telle quelle est présentée dans les deux écrits de Paul, ainsi que sur la différence que fait celui-ci entre ceux qui en vi-vent et ceux qui n'en vivent pas, cette différence étant le de-gré de pénétration réelle des valeurs dites spirituelles dans le comportement concret du sujet.

1. KASEMANN, E., *Commentary on Romans,* Grand Rapids, Michigan, SCM Press, 1980, p. 227. Voir aussi BULTMANN, R., *Theology of the New Testament,* vol. I, New York, Charles Scribner's Sons, 1951, p. 161.
2. CRANFIELD, C., *A Critical and Exegetical Commentary on the Epistle to the Romans,* Edinburgh, T. and T. Clark Ltd., 1975, p. 399.
3. DODD, C.H., *The Epistle of Paul to the Romans,* London, Fontana Books, 1959, (c. 1932), p. 145.
4. JEREMIAS, J., *Le message central du Nouveau Testament,* Paris, Cerf, 1976 (c.1966), pp. 20-29.
5. GREELEY, A., *Sociology of the Paranormal — A Reconnaissance,* Beverly Hills/London, Sage, 1975, p. 65.
6. Voir CRANFIELD, *A Critical...,* p. 400.
7. Voir CRANFIELD, *A Critical...,* p. 401.
8. DODD, *The Epistle...,* pp. 145-146.
9. BARRETT. C.K., *A Commentary on the First Epistle to the Corinthians,* London, Adam and Charles Black, 1968, p. 77.
10. BARRETT, *A Commentary...,* p. 76.
11. MORRIS, L., *The First Epistle of St-Paul to the Corinthians,* Grand Rapids, Michigan, Eerdmans, 1966 (c. 1958), pp. 58-59.
12. MORRIS, *The First...,* p. 61.
13. GROSHEIDE, F.W., *Commentary on the First Epistle to the Corinthians,* Grand Rapids, Michigan, Eerdmans, 1968 (c. 1953), p. 73.
14. MOUROUX, J., *L'expérience chrétienne,* Paris, Aubier, 1952, p. 148.
15. MOUROUX, *L'expérience...,* p. 134.
16. MORRIS, *The First...,* p. 60.
17. BARRETT, *A Commentary...,* p. 77.
18. ORR, W., WALTER, J.A., *First Corinthians - A New Translation,* New York, Doubleday and Co., 1976, p. 166.

# CHAPITRE 9

# Expérience intérieure et expérience mystique

Imaginons dans un pré une vache qui se poserait peu de questions philosophiques. «L'univers, se dirait-elle parfois, consiste en un carré de fourrage délimité par des fils piquants et entouré de quelques autres carrés de fourrage».

Imaginons maintenant dans le même pré une autre vache qui aurait développé pour sa part une approche scientifique de la connaissance, et qui, sachant que les mêmes causes produisent les mêmes effets, se dirait par exemple: «La vie consiste à donner du lait en fonction de la quantité de fourrage et d'eau qu'on a ingurgitée», ou encore: «La vie consiste dans un cycle de jours plus courts où il fait plus froid, et de jours plus longs où il fait plus chaud.»

Imaginons enfin, toujours dans le même pré, un cheval qui ne serait pas particulièrement porté sur la démarche scientifique, mais qui aurait un accès immédiat à d'autres dimensions de l'univers ambiant. Par exemple, il transporte le lait à la laiterie et voit ce que les bipèdes en font. Il transporte les vaches à l'abattoir et voit ce que les bipèdes en font. Il travaille aux champs et voit comment les bipèdes font et défont les prés. Il transporte les bipèdes à la ville et fait l'expérience traumatisante de la pollution...

On se représente facilement certains aspects du dialogue entre le cheval et les deux vaches, et notamment les suivants:

- sa difficulté à communiquer son expérience de la ville;
- la perplexité et le scepticisme de la vache peu philosophe mais aussi de la vache scientifique;
- l'importance du témoignage du cheval pour augmenter la validité de la perception du réel par les deux vaches.

## LA CONNAISSANCE MYSTIQUE

Au terme de cette petite allégorie, le lecteur commence sans doute à comprendre que le cheval représente le mystique, et que l'expérience mystique pourrait bien représenter cette brèche ouverte sur des dimensions du réel inaccessibles à notre connaissance de tous les jours.

Déjà au dix-huitième siècle, le philosophe Kant affirmait que, tout comme les vaches dans notre pré, nous ne pouvons pas connaître le réel tel qu'il existe vraiment, et que ce que nous en connaissons est une construction de notre esprit, une extrapolation à partir de ce que nous saisissons par nos cinq sens.

Ce problème de la connaissance du réel est fort complexe, et un auteur écrit: «Plus nous l'explorons, plus il devient évident que l'univers pourrait bien ne pas être ce qu'il semble être. Ce que nous en connaissons se limite à l'image particulière de cet univers que nous pouvons nous en faire à partir de notre champ de perception et que nous pouvons interpréter par notre raison[1]».

A beau mentir qui vient de loin. Le cheval pourrait vouloir tromper les vaches. Ou il pourrait se trouver tellement affecté par le bruit et la vitesse de la ville, que revenu au pré, son témoignage s'en trouverait entaché de délire. Les vaches doivent veiller au grain et savoir se montrer critiques. Mais comment pourraient-elles décréter que leur façon de connaître épuise toute la connaissance?

Une autre façon d'aborder la question serait d'affirmer que les vaches sont parfois mystiques sans le savoir, que le moment le plus créateur dans la démarche scientifique consiste en une percée directe sur le réel, comme si les frontières du pré se trouvaient abolies pour un instant.

L'esprit humain n'est pas seulement constitué de cinq sens et de leurs extensions (le radar, le microscope et le télescope électroniques et tous les autres appareils), ni d'un cerveau et de son extension (l'ordinateur). L'esprit humain est aussi un centre de conscience qui, même au repos et surtout au repos, peut opérer de soudaines percées sur la nature du réel.

Un auteur écrit ainsi: «Le physicien se trouve amené par sa propre expérience à conclure que sa personnalité dispose de profondeurs et de ressources au-delà de son esprit conscient et analytique, à des niveaux où se trouvent des capacités de synthèse, d'appréciation et de compréhension, une habileté latente et une sagesse supérieure à ce avec quoi sa conscience habituelle est familière[2]».

Dès lors, l'activité scientifique habituelle (formulation et vérification d'hypothèses et élaboration de théories) ne serait que la pointe visible d'un iceberg de processus mentaux beaucoup plus mystérieux, où l'esprit humain aurait accès au réel d'une façon plus directe bien que plus fugace.

## CARACTÉRISTIQUES DE L'EXPÉRIENCE MYSTIQUE

Nous examinerons maintenant ce type d'expérience d'un peu plus près, dans le but de le situer par rapport à l'expérience intérieure intense dont nous traitons depuis le début. Il semble bien que ce type d'expérience ait existé dans toutes les régions du globe et à toutes les époques. Dès le début du vingtième siècle, le psychologue James étudiait ce phénomène et suggérait quatre caractéristiques nécessaires pour qu'une expérience soit dite mystique:

1. *Son caractère ineffable:* il s'agit d'une expérience vécue qu'il n'est pas facile de communiquer avec des mots.
2. *Son caractère de révélation:* au coeur de cette expérience, le sujet apprend, découvre ou redécouvre quelques chose sur le réel qui lui semble important et qui le restera par la suite.
3. *Son caractère transitoire:* cette expérience est brève, allant de quelques instants à quelques heures tout au plus.

4. *La passivité du sujet* au moment de cette expérience: celui-ci peut se disposer à l'expérience mystique de diverses façons, mais lorsque celle-ci survient, il n'a aucun contrôle sur elle et il ne peut être que réceptif[3].

James estime que ces quatre caractéristiques suffisent à constituer cette catégorie d'expérience de type mystique, mais sa position est ouverte à discussion. Par exemple, si on les prend au pied de la lettre, on s'aperçoit que les trois dernières caractéristiques ne sont pas spécifiques à l'expérience mystique. Nous vivons tous fréquemment, en effet, bien des expériences que nous ne contrôlons pas, qui ne durent pas et qui nous apprennent des choses!

Et qui plus est, beaucoup d'expériences qui n'ont rien de mystique sont presque impossibles à décrire, comme par exemple tenter de décrire comment on se sent au pied des chutes Niagara, à quelqu'un qui les aurait vues sous tous leurs angles à la télévision. Que lui dire qu'il ne saurait déjà, et comment lui dire ce qu'il ne sait pas?

C'est pourquoi un autre auteur complète cette liste avec les caractéristiques suivantes:

5. *La conscience de l'unité de toutes choses:* Dans l'expérience mystique, le sujet prend conscience du fait que la nature ou le cosmos forment un tout, et il se sent organiquement inséré dans ce tout.
6. *Le sentiment d'être en dehors du temps:* Cette caractéristique peut découler de la précédente dans la mesure où toutes choses formant un tout, il n'y a plus de multiplicité, et donc plus de changement, et donc plus de temps non plus.
7. *La conviction que le moi familier n'est pas le vrai moi,* qui serait plus stable, plus unifié et plus intégré au réel que le moi conscient, soumis aux apparences, aux changements et aux sautes d'humeur quotidiennes[4].

Mentionnons enfin rapidement une autre série de caractéristiques proposées par un troisième auteur:

1. L'expérience mystique se détache nettement de l'expérience quotidienne du sujet.
2. Celui-ci la considère comme un événement important qui demeurera mémorable par la suite.
3. Le sujet ne trouve rien dans son existence personnelle qui lui permette d'expliquer cette expérience.
4. Le sujet ne peut s'expliquer cette expérience qu'en recourant soit à un niveau d'explication religieux, soit à la nature ou au cosmos pris comme un tout[5].

On doit finalement tenir compte des sentiments de joie intense et de paix profonde qui, aux dires des grands mystiques, accompagnent ce type d'expérience. On peut alors synthétiser ces différents éléments en définissant l'expérience mystique comme un moment durant lequel le sujet atteint un état de conscience spécial qui lui donne accès aussi bien à un sentiment de grande sérénité qu'à des intuitions profondes sur la nature du réel.

Happold formule de la façon suivante les principales vérités qui sont ainsi pressenties lors des grandes expériences mystiques:

1. L'univers des phénomènes et des consciences individuelles n'est qu'une réalité partielle établie sur le fondement de l'Être où toutes choses ont leurs racines.
2. L'être humain a la capacité d'accéder à ce fondement de l'Être, non seulement par inférence, par une connaissance discursive, mais par une intuition directe où le sujet connaissant se trouve uni à la réalité connue.
3. Il y a dans l'être humain une dualité entre son *moi quotidien,* qu'il tend à considérer faussement comme son vrai moi, et son *moi profond*, qui est en contact avec le fondement de l'Être.

4. Le but de l'existence de l'être humain est de trouver accès et de s'identifier à son moi profond, et d'accéder ainsi au fondement divin de l'Être[6].

En termes plus synthétiques encore, un mystique contemporain résume ainsi les convictions que l'expérience intérieure intense a fait naître en lui:

1. «L'univers n'est pas une machine inerte mais une présence vivante.»
2. «Dans son essence et son orientation, cet univers est infiniment bon.»
3. «L'existence individuelle se prolonge au-delà de ce qu'on appelle la mort.[7]»

## DIFFÉRENTS TYPES D'EXPÉRIENCE INTÉRIEURE

L'étude de l'expérience mystique soulève évidemment une foule de questions fort complexes, notamment les suivantes: la validité de la connaissance dans cet état, l'influence de l'environnement sur l'interprétation de l'expérience mystique par le sujet, le lien entre l'expérience mystique et la foi religieuse...

Ces questions dépassent toutefois l'envergure du présent essai, qui se limite à situer l'expérience intérieure intense par rapport à l'expérience mystique telle qu'elle est présentée dans la littérature religieuse traditionnelle.

Les différentes caractéristiques de l'expérience mystique examinées quelques pages plus haut présentent des correspondances évidentes avec les caractéristiques de l'expérience intérieure intense que nous avons décrites au chapitre 3.

À la limite, on pourrait même dire que la définition de l'expérience mystique donnée à la page 97 correspond assez bien aux différents récits d'expérience intérieure intense présentés plus haut. Peut-on affirmer dès lors que ces deux expressions correspondraient dans les faits à une réalité unique?

Sans être identiques, ces deux types d'expérience pourraient bien être voisins, si on les situait sur un continuum. Dans son livre célèbre *Le sacré,* Otto écrit que même si l'expérience mystique présente une bien plus grande intensité, on peut déjà en relever des traces dans toute expérience religieuse plus conventionnelle, pourvue que celle-ci soit authentique[8].

Le tableau suivant présente sur un continuum différents types d'expériences intérieures, par ordre d'intensité croissante.

**Tableau 6:** *Différents types d'expériences intérieures*

| Prière utilitaire | Prière conventionnelle | Expérience intérieure intense | Expérience mystique | Expérience des grands contemplatifs |
|---|---|---|---|---|
| 1 | 2 | 3 | 4 | 5 |

1. La *prière utilitaire* n'a de l'expérience intérieure que le nom. Comme le notait Allport dans sa description de «l'orientation religieuse extrinsèque», la démarche religieuse est utilisée ici en vue de bénéfices psychologiques immédiats.

   La parabole qui compare la prière du Pharisien et celle du Publicain nous fournit une bonne illustration de ceci (*Luc 18, 9-14).* Le Pharisien nous est en effet présenté comme utilisant essentiellement sa prière pour rehausser son image: «Mon Dieu je suis bon, je ne suis pas comme les autres, je fais beaucoup de choses...»

2. La *prière conventionnelle* est utilisée pour exprimer à la divinité les états intérieurs ou la situation

concrète du sujet («J'ai peur, je suis triste, je te rends grâce, j'ai besoin de toi...»), mais sans atteindre toutefois l'intensité de la catégorie suivante. Ce type de prière a donc proportionnellement moins d'impact sur le sujet, tout en constituant à un niveau religieux une démarche authentique, comme le fait remarquer Jésus en commentant la prière du Publicain dans la parabole mentionnée plus haut.

3. *L'expérience intérieure intense,* que nous avons décrite plus en détail plus haut.

4. *L'expérience mystique,* dont la structure est analogue à l'expérience intérieure intense, mais qu'on a plutôt tendance à associer à la vie des grands contemplatifs.

5. Enfin, *l'expérience des grands contemplatifs,* que l'on essaiera de décrire dans ses grandes lignes au chapitre suivant. Il peut arriver que ce type d'expérience soit plus intense que les deux précédents, mais il est surtout plus soutenu et plus fréquent, étant donné que les sujets en cause ici y consacrent toute leur vie.

La réflexion suivante de Happold marque bien la différence entre la position 4 et la position 5 de notre continuum: «Quelqu'un peut être un mystique sans être et sans jamais devenir un contemplatif. Plusieurs font l'expérience de ces moments soudain de perception intuitive, qui ne durent pas mais qui sont profondément signifiants et qui leur révèlent de nouvelles facettes de la réalité»[9].

Après avoir reproduit plus loin des témoignages analogues à ceux que nous avons présentés plus haut comme étant des expériences intérieures intenses, le même auteur commente: «Aucune de ces expériences n'est le fait des mystiques au sens étroit du terme... Il ne fait toutefois aucun doute qu'elles soient de même type et qu'elles proviennent de la même source...»

C'est pourquoi l'auteur en conclut que «la différence entre le mystique au sens large et le contemplatif en est une
de degré», et que «l'expérience de fond et les effets de fond
sont les mêmes»[10]. On peut donc conclure à notre tour que
s'il y a une différence entre l'expérience intérieure intense
et l'expérience mystique, il s'agit ici aussi d'une différence
de degré et non d'une différence de structure.

Dans un opuscule intitulé *L'anneau ou la pierre brillante*[11], un mystique flamand du quatorzième siècle reprend à
peu près point par point notre continuum, évidemment dans
le langage religieux de l'époque, inspiré du langage de
l'Évangile.

**Tableau 7:** *Le continuum de Ruysbroeck*

| Les mercenaires | Les serviteurs fidèles | Les amis secrets | Les fils cachés |
|---|---|---|---|
| 1 | 2 | 3 | 4 |

1. Les *mercenaires* «ne veulent servir Dieu que pour
   leur bien propre» (nous dirions: «pour des bénéfices
   psychologiques immédiats»). «Ils paraissent garder
   la loi et les préceptes tant de Dieu que de la sainte
   Église, mais ils négligent la loi de l'amour. (...) Sans
   fidélité intime pour Dieu, ils n'osent se confier en lui,
   et toute leur vie intérieure n'est que crainte et perplexité, labeur et misère». Faute de sécurité intérieure, les «non peakers» ne peuvent vivre au niveau de
   l'intimité et s'emploient laborieusement à se confor-
   mer aux normes.
2. Les *serviteurs fidèles* «observent volontiers les commandements et pratiquent l'obéissance envers Dieu
   et la sainte Église, en s'adonnant à toutes vertus et
   bonnes coutumes; c'est ce qui s'appelle une vie extérieure ou active». Nous sommes ici au niveau de
   la vie religieuse conventionnelle, où le sujet s'enga-
   ge sincèrement dans sa religion, mais en demeurant
   «centré sur la tâche» et en ayant peu accès à son
   univers intérieur.

3. Les *amis secrets* «ajoutent encore à l'observance des préceptes de Dieu la docilité à ses conseils plus intimes. Ils adhèrent à lui profondément par amour... De tels amis, Dieu les appelle et les invite au-de-dans, et il leur enseigne... les nombreux modes ca-chés de la vie spirituelle». Ruysbroeck précise plus loin que ces sujets ont ainsi accès «aux consolations et aux douceurs qu'ils ressentent dans l'intime», ce qui correspond à quelques-uns des effets typiques de l'expérience intérieure intense.

4. Les *fils cachés,* enfin, qui connaissent «l'égarement fécond en richesses dans l'amour super-essentiel, où l'on ne trouve plus ni fin, ni commencement, ni mode, ni manière». Nous sommes ici au niveau de conscience propre aux grands contemplatifs, tel que nous le préciserons au chapitre suivant.

Sur son continuum, Ruysbroeck condense à la position 3 les positions 3 et 4 de notre propre continuum, qui distin-guait entre l'expérience intérieure intense et l'expérience de type mystique. Ceux qui estiment que ce que nous avons appelé l'expérience intérieure intense est nettement un phé-nomène de type mystique trouveront donc ici un indice sup-plémentaire en faveur de cette position.

Nous verrons au chapitre suivant comment les différen-tes positions de notre continuum s'articulent dans une dyna-mique de croissance.

## L'INTERPRÉTATION RELIGIEUSE DES FAITS

Nous pouvons maintenant revenir brièvement sur la question du caractère religieux de l'expérience intérieure in-tense, que nous avions soulevée au début de cet essai (p. 17). Dans sa recherche sociologique, Greeley cite deux au-teurs selon lesquels la religion est «un ensemble de symbo-les qui essaient de fournir un schéma d'interprétation unique pour expliquer la réalité ultime[12]».

À partir de cette définition, Greeley se croit en mesure de conclure que l'expérience intérieure intense est fondamentalement de nature religieuse. «Le mystique est religieux, qu'il aille à l'église ou non, qu'il professe une doctrine ou non, parce qu'il prétend avoir vu et connaître la façon dont les choses existent vraiment. Sa façon de connaître durant l'épisode extatique est religieuse au sens où elle est une façon de connaître la signification ultime des choses.»

Cette position apparaît légitime à première vue, et si le mot *religieux* a un sens, il est hautement probable que ce sens soit présent dans l'expérience de type mystique. Le problème est que la définition de la religion utilisée par Greeley est discutable dans la mesure où elle autorise une utilisation défensive de la religion qui présente peu de rapports avec l'expérience mystique.

Prenons l'exemple d'un dictateur tortionnaire qui est sincèrement convaincu des deux équations suivantes: Dieu = liberté = capitalisme = statu quo, et Diable = communisme = changement social. Dans cet exemple, nous sommes bel et bien en présence d'un schéma d'interprétation unique rattaché à un ensemble de symboles: religion, drapeau, famille, propriété, tradition, sécurité nationale... Lorsqu'il assite à la messe après avoir fait torturer pour sauver la civilisation chrétienne, ce dictateur peut donc être sincèrement convaincu qu'il fait une démarche religieuse, ...et avoir raison selon la définition présentée plus haut.

La question est complexe, car il s'agit de décider qui peut légitimement définir la religion. Le peintre dit ce qu'est la peinture en peignant, et les théoriciens de l'art partiront de son expérience et de celle des autres peintres pour suggérer des définitions de la peinture. Pareillement pour l'expérience religieuse. Il est donc tout à fait à propos de commencer par l'exploration docile des réalités dites religieuses. Ce qui complique la chose, c'est que le scientifique arrive déjà avec certaines connaissances sur l'expérience humaine, ce qui lui permet -et l'oblige!- de critiquer l'interprétation religieuse que le sujet fait de son expérience.

Par exemple, le psychologue dira: Lorsque tel sujet affirme que Dieu lui ordonne de faire sauter la ville de Montréal à cause des infâmies qui s'y commettent, j'ai pour ma part beaucoup d'indices qui m'amènent plutôt à parler de délire religieux. Je ne sais pas encore ce qu'est l'expérience religieuse, mais je sais que si cela existe, il faut que ce soit autre chose qu'une crise de délire.

Il en va de même pour l'étude psychologique de l'expérience intérieure intense. Le psychologue pourra dire: Je constate que beaucoup de sujets déjà religieux interprètent spontanément comme une expérience de Dieu leurs expériences intérieures intenses. En même temps, je constate que plusieurs sujets qui ne sont pas déjà religieux ne font pas cette interprétation religieuse de ce qui m'apparaît pourtant comme la même structure d'expérience.

Le psychologue doit certes prendre au sérieux les affirmations des sujets en santé et de bonne foi. Mais des millions de sujets en santé et de bonne foi ont donné pendant des siècles des interprétations religieuses inexactes de leur expérience, concernant par exemple la venue de la pluie au terme d'une sécheresse ou le retour du soleil après des «déluges», concernant l'arrivée de certaines maladies ou le retour de la santé, etc.

Malgré ces interprétations religieuses massives et plusieurs fois séculaires, les croyants d'aujourd'hui affirmeraient spontanément que ces phénomènes sont fondamentalement d'ordre naturel. On ne peut exclure le même scénario dans le cas de l'expérience intérieure intense, sans pour autant pouvoir le prédire avec certitude non plus.

Le psychologue doit donc être à la fois respectueux et critique face aux interprétations fournies par ses sujets. Il lui faut distinguer entre la *narration* d'une expérience et l'*interprétation* de celle-ci, même si cette distinction est souvent très difficile à faire. Si le sujet dit: «J'ai été envahi de lumière», c'est une chose. S'il ajoute: «Pour moi, cette lumière, c'était Dieu», c'en est une autre. Le psychologue n'a pas à se faire théologien, mais il doit prendre garde, en voulant mettre provisoirement les *croyances* entre parenthèses, d'ignorer du même coup les *faits* qui ont pu donner lieu à ces croyances. Nous tenterons au chapitre suivant de poursuivre notre exploration de ces faits et de ce qui peut les provoquer.

---

1. HAPPOLD, F.C., *Mysticism – A Study and an Anthology,* Penguin Books, 1970, p. 30.
2. HUNTLEY, H.H., *The Faith of the Physicist,* cité par HAPPOLD, *Mysticism...,* p. 28.
3. JAMES, W., *The Varieties of Religious Experience,* New York, Collier Books, 1961 (c. 1902), pp. 299-301.
4. HAPPOLD, *Mysticism...,* pp. 46-48.
5. KAUFMANN, W., *Critique of Religion and Philosophy,* New York, Doubleday and Company, 1961, pp. 325-327.
6. HAPPOLD, *Mysticism...,* p. 20.
7. BUCKE, R., From self to cosmic consciousness, (1901), WHITE, J. (ed.), *The Highest State of Consciousness,* Garden City, New York, Doubleday, 1972, p. 87, cité par GREELEY, *The Sociology...,* p. 51.
8. OTTO, R., *The Idea of the Holy,* Toronto, Oxford University Press, 1931, p. 37.
9. HAPPOLD, *Mysticism...,* p. 39.
10. HAPPOLD, *Mysticism...,* p. 55.
11. RUYSBROECK, Jan Van, *Oeuvres,* Traduction du flamand par les Bénédictins de St-Paul de Wisques, Bruxelles, Vromant et Co., 1920, Vol. 3, pp. 243-248.
12. LUCKMAN, T., *The Invisible Religion,* New York, MacMillan, 1967, et GEERTZ, C., Religion as a cultural system, BANTON (ed.), *Anthropological Approaches to the Study of Religion,* New York, Frederik A. Praeger, 1966, GEERTZ, C., *Islam Observed,* New Haven, Yale University Press, 1969, cités par GREELEY, A., *The Sociology of the Paranormal: A Reconnaissance,* Beverly Hills/London, Sage, 1975, p. 56.

# CHAPITRE 10

# L'expérience intérieure: événement ou apprentissage

Pour le profane, et ce terme englobe aussi bien le sujet lui-même que le confident à qui il tente de la communiquer, l'expérience intérieure intense apparaît souvent comme un événement isolé, comme une espèce de météorite qui tombe du ciel sans avertir, ou encore, sur un registre religieux, comme «une grâce inattendue et non méritée».

Mais se pourrait-il que cette expérience soit le fruit d'apprentissages de la part du sujet? Ce terme d'apprentissage évoque spontanément l'idée d'une démarche formelle où l'on sait ce que l'on veut apprendre et où l'on met en oeuvre une stratégie d'apprentissage correspondante. Mais la psychologie nous montre que beaucoup d'apprentissages que nous faisons sont effectués «spontanément», ou du moins d'une façon non-réfléchie.

Voici quelques exemples d'apprentissages non-conscients. L'enfant rejeté *apprend* à rationaliser et à se convaincre que ses parents ne le rejettent pas vraiment, l'enfant menacé *apprend* à mentir ou à manipuler pour diminuer sa vulnérabilité, le militant *apprend* le vocabulaire, les gestes et mêmes les tics de son idole, etc.

Par ailleurs, beaucoup d'«événements» apparemment sans importance et attribués au hasard, deviennent au contraire tout à fait compréhensibles et directement provoqués par le sujet impliqué, lorsqu'on les regarde avec suffisamment de recul. Depuis Freud, on sait le rôle que le sujet joue à son insu dans ses lapsus, ses gestes manqués, ses oublis ou ses petits bobos qui lui permettent d'éviter en toute bonne conscience des réalités ou des engagements désagréables pour lui[1].

À titre d'exemple, des chercheurs se sont aperçu que, à cause du stress provoqué par les combats, «les aviateurs sont plus portés à se retrouver avec des troubles dans la perception de la profondeur ou la vision nocturne, symptômes qui s'avèrent particulièrement utiles pour compromettre le vol, alors que les parachutistes sont portés à souffrir de paralysie des jambes»[2].

Ces personnes se seraient probablement scandalisées si on leur avait laissé entendre que leur organisme avait lui-même provoqué ces symptômes si utiles, mais telle était bien la réalité: dans beaucoup de circonstances, nous «apprenons» à notre insu des comportements ou des performances qui sont les plus appropriées pour nous dans le contexte.

Freud et d'autres psychologues après lui ont bien mis en lumière également le fait que nous fabriquons nos rêves en fonction soit de nos désirs, soit des messages que nous voulons nous communiquer à nous-mêmes à un moment précis de notre évolution personnelle.

Bref, alors qu'au début de cet essai, nous situions l'expérience intérieure intense du côté passif du continuum passivité-activité, se pourrait-il que — comme dans beaucoup d'autre cas — le rôle que l'organisme du sujet joue dans ses expériences intérieures soit plus actif qu'il ne paraît à prime abord?

Si l'expérience intérieure intense est un fruit, on ne peut peut-être le cueillir qu'après avoir patiemment fait grandir l'arbre. Chacun à sa façon, la plupart des auteurs spirituels affirment que si on ne peut provoquer à volonté l'expérience intérieure intense, on peut du moins s'y préparer. Krishnamurti dit en ce sens: «On ne peut faire venir le vent, mais on doit garder la fenêtre ouverte».

Pour la spiritualité chrétienne — et fort probablement aussi pour toutes les autres spiritualités —, l'expérience intérieure est quelque chose qui s'acquiert, se développe, s'approfondit, se purifie, etc. Si l'expérience intérieure n'était de l'ordre que de l'événement, sur lequel le sujet n'a aucune prise, les auteurs chrétiens n'auraient pas écrit des dizaines de milliers de livres sur la voie de cette expérience spirituelle.

Si l'on peut apprendre à d'autres à progresser dans l'expérience intérieure, le présupposé des auteurs spirituels est conséquemment que cette expérience résulte pour une bonne part d'un *apprentissage*. Or, tout apprentissage est relié au développement d'habiletés spécifiques, même si celles-ci peuvent se révéler difficiles à identifier à prime abord.

Maslow exprime que si on ne peut provoquer l'expérience intérieure intense, on peut du moins évoluer vers une dynamique affective qui accroît la possibilité que celle-ci survienne. Je suis pour ma part porté à faire l'hypothèse qu'avec un vocabulaire parfois déroutant (notre état de pécheur, notre indignité profonde, la nécessité de se renoncer, de se haïr, etc.), l'objectif fondamental des auteurs spirituels est dans ce sens d'aider leurs lecteurs à évoluer progressivement vers une dynamique affective plus souple, plus réceptive, moins centrée sur les apparences, les biens matériels et la recherche de prestige, bref, à passer d'une dynamique de «non peakers» à une dynamique de «peakers».

## LA COMPARAISON AVEC LE SOMMEIL

On peut distinguer quatre positions face à l'apprentissage de l'expérience intérieure intense.

1. Le sujet n'a aucune prise sur elle; elle vient quand elle vient.
2. Le sujet n'a pas de prise directe sur elle, mais il peut s'y disposer en évoluant vers une personnalité plus souple et plus ouverte.
3. Le sujet n'a pas de prise sur elle mais il peut s'y disposer en se livrant à diverses techniques telles que le jeûne, la méditation, la solitude, etc.
4. La position 4 combine les positions 2 et 3.

Or, il est intéressant de constater que ces quatre positions peuvent très bien s'appliquer au phénomène du sommeil, et peut-être à d'autres phénomènes comme la digestion, par exemple[3]. Prenons le cas du sommeil.

1. Personne ne contrôle son sommeil. On s'endort et on se réveille «quand on est dû».
2. Le sujet ne contrôle pas directement son sommeil, mais il peut se débarrasser de ses insomnies et améliorer la qualité de son sommeil en évoluant vers une personnalité plus saine, c'est-à-dire plus dégagée de ses conflits internes, de ses anxiétés et de ses tensions.
3. Le sujet ne contrôle pas totalement son sommeil, mais il peut développer des techniques de détente ou d'auto-suggestion qui augmentent la rapidité avec laquelle il trouve le sommeil, et l'aident à contrôler l'heure de son réveil.
4. Une combinaison des positions 2 et 3.

Pour compléter — et compliquer! — le tout, il faut ajouter enfin des différences de personnalité autres que le facteur de santé mentale. Certaines personnes, qui ne bénéficient pas nécessairement d'une santé mentale au-dessus de la moyenne, s'endorment en touchant l'oreiller, alors que d'autres personnes, qui semblent jouir d'une santé mentale au moins dans la bonne moyenne, ont fréquemment des insomnies d'une heure.

Ce facteur de différences individuelles pourrait ainsi expliquer que des personnes en bonne santé ne vivent pas d'expériences intérieures intenses, alors que d'autres sujets à la santé psychologique encore fragile puissent en vivre.

## L'AMBIVALENCE DES AUTEURS SPIRITUELS

Cette complexité du phénomène de l'apprentissage de l'expérience intérieure expliquerait peut-être l'ambivalence de plusieurs auteurs spirituels qui défendent tour à tour les deux positions, tels Bonaventure dans son *Itinéraire de l'esprit vers Dieu,* écrit au treizième siècle.

Cet auteur affirme d'abord: «En cette matière (du passage dans l'extase), la nature ne peut rien et la méthode peu de chose. Il faut accorder peu à la recherche et beaucoup à l'onction (de l'Esprit Saint)». On peut déjà noter l'ambivalence dans le léger contraste entre «rien» et «peu de chose». L'auteur aurait pu écrire: la nature ne peut rien et la méthode non plus. Mais il écrit: la nature n'a pas de pouvoir, et l'activité du sujet a un pouvoir limité (modicum potest industria).

Et dans le même paragraphe, il citera plus bas quelques conseils d'un autre auteur, en les prenant à son compte: «'Mon ami, affermis-toi dans les voies de la contemplation mystique; laisse faire les sens et les opérations de ton intelligence, (...) réintègre-toi autant qu'il te sera possible dans l'unité...'»[4].

Illustrons graphiquement ce qui est en cause ici.

Plaine — Sommet — Plateau

**Figure 5:** *Trois types d'expérience*

Alors que la totalité de l'expérience des «non peakers» se déroule en terrain plat, l'expérience intérieure intense, que Maslow appelle *l'expérience-sommet,* vient révéler au «peaker» des dimensions insoupçonnées du réel. Cette expérience, il peut tenter de la renouveler afin de se situer d'une façon continue à ce niveau de perception du réel et dans ce climat affectif. Après d'autres auteurs, Maslow suggère le terme d'expérience-plateau pour désigner l'état de conscience qui est moins intense mais plus durable, tout en présentant les mêmes caractéristiques de base et les mêmes effets que l'état de conscience éprouvé lors de l'expérience intérieure intense.

Le but avoué des auteurs spirituels est d'aider les gens de la plaine à s'établir sur les plateaux, et certains auteurs précisent bien que cet apprentissage, ce sont tous les habitants de la plaine qui sont invités à le faire, et pas seulement ceux qui ont connu les joies des sommets. Bouyer écrit ainsi: «La mystique, loin d'être pour cela une voie singulière, équivoque, extraordinaire au sens le moins favorable du mot, doit être considérée comme l'épanouissement normal de la perfection chrétienne»[5].

Affirmer que le terme de la vie chrétienne consiste dans l'apprentissage de la conscience mystique, c'est donc affirmer que l'expérience intérieure intense *s'apprend*, d'une certaine façon.

## MYSTIQUE ET TECHNIQUE SCIENTIFIQUE

Une des résistances à emprunter cette façon de voir se situe peut-être au niveau de la difficulté à identifier les apprentissages qui seraient en cause. Mais cette distance entre le profane et la performance du mystique n'est pas sans parallèle. Une personne qui serait déroutée par le dialogue qu'elle aurait surpris entre deux mystiques à propos de leurs expériences respectives serait tout aussi déroutée par la conversation entre deux spécialistes de la biologie cellulaire qui échangeraient sur leurs recherches respectives.

On pourrait penser que cette personne sortirait de sa confusion en vérifiant elle-même ce qui se passe sur la lamelle du microscope électronique. Mais justement, à moins d'un long entraînement à l'observation de cellules à l'aide de cet instrument, cette démarche ne lui serait d'aucun secours, et elle ne verrait probablement dans cet instrument rien de ce que les spécialistes y voient.

Un auteur estime qu'il en va de même pour la vie intérieure, et que ce n'est qu'à la condition d'y avoir consenti l'entraînement nécessaire que l'on peut percevoir ce que les grands mystiques disent percevoir[6].

Cette hypothèse selon laquelle l'expérience intérieure intense résulterait d'apprentissages plus ou moins conscients serait appuyée par les résultats du sondage britannique examiné au chapitre 2. Dans ce sondage, en effet, la fréquence de l'expérience intérieure intense augmente systématiquement avec l'âge, moins du tiers des 16-24 ans disant avoir vécu de telles expériences, alors que près de la moitié des 65 ans et plus le font.

Quant au sondage américain, il présente la même augmentation de la fréquence, de l'adolescence à la cinquantaine, suivie toutefois d'un déclin marqué pour les groupes d'âges suivants. Ces résultats peuvent nous amener aux propositions suivantes: vieillir, c'est apprendre à vivre, et ce, même si on n'est pas toujours conscient de ce qu'on est en train d'apprendre, et apprendre à vivre, cela inclut dans plusieurs cas apprendre à vivre des expériences intérieures intenses.

## TROIS CONCLUSIONS

Ces développements nous font déboucher sur trois conclusions. Tout d'abord, l'expérience de type mystique se présente comme une réalité mixte, au sens où comme le sommeil, la digestion et possiblement beaucoup d'autres phénomènes naturels, elle échappe partiellement au contrôle conscient du sujet, tout en se prêtant par ailleurs à certains apprivoisements ou apprentissages.

Deuxièmement, ces apprentissages qui permettent une certaine prise sur l'expérience intérieure intense et sur la conscience mystique consistent d'une part en des changements au niveau de la personnalité (notamment diminution des inhibitions et ouverture, et décentration des bénéfices psychologiques immédiats tels la sécurité, le confort, les belles apparences), et d'autre part dans la mise en oeuvre de certaines techniques ou dispositions mentales.

Troisièmement, les auteurs spirituels de la tradition chrétienne ont abondamment parlé dans leurs écrits à la fois de cette préparation lointaine (changement au niveau du fonctionnement personnel), et de cette préparation immédiate (techniques ou dispositions mentales). Le chapitre suivant nous donnera l'occasion de regarder de plus près les positions de ces auteurs.

## L'INTERVENTION DIVINE

En réfléchissant sur les résultats de son enquête nationale, Greeley écrit: «Quelqu'un peut faire bien des choses pour provoquer une expérience mystique — prière, méditation, hypnose, audition de musique, consommation de drogues, imposition de discipline sévère face aux sens — mais dans tous les cas, il s'agit de préparation; ces démarches ont simplement pour effet de mettre le sujet dans un état dans lequel quelque chose d'autre semble se produire, où un autre pouvoir semble prendre la relève[7]».

Pour un croyant, il est bien tentant d'identifier sans plus ce «quelque chose d'autre» ou cet «autre pouvoir» avec l'intervention directe de Dieu. Mais en y regardant de près, cette façon de penser revêt plusieurs caractéristiques du fonctionnement des «non peakers»!

Tout d'abord, elle est traditionnelle, et le «non peaker» apprécie particulièrement la sécurité de la tradition. Plusieurs approches théologiques conventionnelles de l'expérience mystique débouchent en effet sur cette explication traditionnelle à l'effet que «l'expérience mystique authentique», comprise comme «l'union de l'âme à Dieu», «n'est possible que moyennant un don direct des puissances divines[8]».

Ensuite, en plus d'être approuvée par l'autorité de la tradition, cette façon de penser offre la sécurité additionnelle de distinguer clairement entre le niveau humain, où l'on peut normalement fonctionner à sa façon, et le niveau surnaturel, où Dieu reste normalement dans son coin.

À première vue, cette position devrait être insécurisante, puisqu'elle implique que Dieu peut intervenir directement n'importe où. Mais en fait, elle a au contraire un effet sécurisant, puisque l'expérience mystique est perçue comme un phénomène rare, comme l'exception qui confirme la règle, la règle étant bien sûr que normalement, ces choses-là n'arrivent pas, que les humains normaux sont à l'abri du divin.

Cette position se donne donc les apparences de la vertu en affirmant fermement l'existence et l'intervention de Dieu contre les scientifiques qui sont portés à en faire au moins temporairement abstraction. Mais cette façon de faire permet en fait aux «non peakers» de mettre entre parenthèses l'expérience de type mystique et de continuer à se représenter Dieu non pas comme un mystère fascinant, mais comme un individu sympathique «que l'on peut approcher avec le bon dosage d'amour et de charité, ou de foi et de raison, ou de doctrine et de camaraderie[9]».

On peut adopter une position strictement inverse, et demeurer nettement dans le même fonctionnement typique des «non peakers». Encore ici, on recherchera une explication qui soit globale, traditionnelle et non menaçante. On dira par exemple: l'expérience intérieure intense, c'est juste physiologique, ou c'est de l'auto-suggestion, ou c'est une simple régression du moi chez des sujets fragiles, etc.

Qu'elles soient religieuses ou non-religieuses, ces interprétations découlent donc de la même tendance à réduire l'inconnu au connu, et donc à évacuer le mystère soulevé par les phénomènes en question.

Cette recherche de sécurité s'explique par le fait qu'il y a effectivement quelque chose d'insécurisant dans ce mystère des profondeurs de l'organisme humain, qui recèlent tant d'inconnu, en commençant par nos propres émotions et en allant jusqu'à ces autres dimensions du réel auxquelles l'expérience intérieure semble donner accès.

Et cette insécurité s'accroît à mesure que l'exploration intérieure se fait plus systématique, à mesure que le mystique accepte de passer du connu à l'inconnu. Au-delà du Dieu que les «non peakers» s'imaginent connaître par leurs doctrines et contrôler par leurs rites, le mystique se met à ses propres risques à la recherche du Tout-Autre. «En s'engageant pleinement dans l'enfer privé de son propre inconscient, en y affrontant la mort, la cruauté, l'immoralité et tout ce qui s'oppose à la vie, le mystique ou bien trouve Dieu ou bien devient psychotique».[10]

Il y a pour chacun d'entre nous quelque chose d'intimidant dans tout récit d'expérience intérieure intense, et à plus forte raison dans l'itinéraire des grands mystiques. C'est ce qui explique que nous soyons portés à recourir à des explications hâtives et globales, qu'elles soient d'ordre théologique ou scientifique, pour disposer de ces phénomènes.

Mais nous ne comprendrons ceux-ci, et partant, nous ne nous comprendrons mieux nous-mêmes, qu'en surmontant cette tentation pour nous mettre à l'écoute des faits et risquer humblement nos hypothèses par la suite. C'est pourquoi il nous faut pour l'instant laisser ouverte la question de l'origine de l'expérience intérieure intense, et poursuivre nos recherches.

1. Voir en particulier la *Psychopathologie de la vie quotidienne,* parue en 1901.
2. DOLLARD, J., MILLER, N., *Personality and Psychotherapy,* New York, McGraw-Hill, 1950, p. 166.
3. Voir HOCKING, W.E., Mysticism as Seen through its Psychology, dans WOODS, R., (ed.), *Understanding Mysticism,* New York, Doubleday and Company, 1980, p. 231.
4. BONAVENTURE, *Itinéraire de l'esprit vers Dieu,* Introduction, traduction et notes par Kensy Duméry, Paris, Vrin, 1960, p. 105.
5. BOUYER, L., *Introduction à la vie spirituelle,* Paris, Desclée, 1960, p. 303.
6. OVERALL, C., The nature of mystical experience, *Religious Studies,* 18, 1982, pp. 47-54.
7. GREELEY, A., *The Sociology of the Paranormal: A Reconnaissance,* Beverley Hills/London, Sage, 1975, p. 50.
8. KNOWLES, D., What is Mysticism, dans WOODS, *Understanding Mysticism...,* p. 525.
9. SCHNEIDERMAN, L., Psychological Notes on the Nature of Mystical Experience, *Journal for the Scientific Study of Religion, 6(1), 1967, p. 98.*
10. Même endroit.

# CHAPITRE 11

# L'apprentissage de la conscience mystique

Cinquante ans après avoir publié sur le mysticisme une étude qui devint un classique et fut rééditée douze fois[1], Evelyn Underhill tentait de s'expliquer sur l'essentiel de la question. Pour elle, l'expérience mystique est dans son aspect personnel un secteur de la psychologie, et le vocabulaire de la psychologie changeant selon les époques, il faut également traduire en termes nouveaux notre approche du phénomène mystique.

C'est là l'objectif du présent chapitre, en dépendance directe de cette auteure. Mais avant de procéder, synthétisons en quelques propositions les conclusions auxquelles celle-ci arrive après un demi-siècle de recherches, de réflexion et de publication[2].

1. Il y a moins de différences entre des mystiques de religions différentes qu'entre un mystique et un adepte moyen de sa religion.
2. L'interprétation théologique que le mystique fait de son expérience est moins importante que son expérience elle-même, c'est-à-dire que la façon dont il se sent par rapport à la réalité ultime.
3. Alors que la conscience habituelle n'a accès qu'à une série de phénomènes discontinus, la conscience mystique pénètre la cohésion et la signification profondes du réel.
4. Plutôt que de nous confronter à un dualisme qui opposerait les bonnes valeurs spirituelles aux mauvaises valeurs matérielles, les auteurs mystiques nous mettent en présence d'un processus de pénétration de plus en plus profond par rapport à la réalité de l'Univers.

5. Reliés à l'expérience mystique, on trouve un certain nombre d'actes et de dispositions intérieures qui s'enchaînent dans un processus.

6. L'un des points qui ressort le plus clairement du témoignage des mystiques chrétiens est leur tendance à distinguer dans ce processus trois étapes ou trois phases de conscience.

Richard de Saint-Victor, un auteur mystique du douzième siècle, présente ainsi ces trois étapes de la conscience mystique:

- d'abord l'expansion de la conscience, qui élargit et approfondit notre vision du réel;
- ensuite l'élévation de l'esprit, par lequel nous nous portons vers les réalités qui sont au-delà de nous-mêmes;
- enfin l'extase, qui transporte l'esprit vers la vérité dans sa pure simplicité[3].

Nous utiliserons pour notre part avec Underhill les termes d'introversion, d'illumination et de contemplation pour désigner respectivement ces trois étapes de l'apprentissage de la conscience mystique.

## L'INTROVERSION

Cette première étape est fréquemment appelée aussi voie de guérison («voie purgative»), car il s'agit pour le sujet de se dégager de tout ce qui affecte sa santé. Cette démarche implique donc que le sujet ait pris conscience du fait que la qualité de sa vie est de beaucoup inférieure à ce qu'elle pourrait être.

L'émergence de ces insatisfactions peut être graduelle ou soudaine, auquel cas on sera porté à parler de conversion. Mais dans les deux cas, il faut que le sujet se retrouve en déséquilibre, qu'il prenne conscience de son inconscience, pourrait-on dire, qu'il se fatigue de la superficialité et de la vanité de son style de vie actuel, qu'il en vienne à se sentir vide au sein de son encombrement.

D'une durée pouvant s'étendre sur des années, cette première étape consiste donc dans le passage de la dispersion au recentrement de l'esprit, de l'encombrement à la simplicité de vie, d'une vie déviée par des principes irrationnels ou erronés à une vie orientée selon des perspectives plus justes, et enfin, dans le passage de la vulnérabilité aux impulsions à un fonctionnement plus intégré.

Il s'agit en bref pour les sujets de se dégager d'un fonctionnement désormais perçu comme inadéquat (correspondant au concept traditionnel de *péché* sous ses différentes formes), pour se préoccuper de développer la qualité de leur vie sous ses différentes dimensions (correspondant aux différentes vertus traditionnelles).

On est porté à voir dans cette première étape le moment par excellence de la vie ascétique, caractérisée par la pratique d'exercices difficiles destinés à assouplir et disposer la sensibilité: jeûnes, veilles, solitude, etc. Il semble que les grands mystiques aient eu en fait une attitude nuancée par rapport à l'ascèse, parce qu'une attitude de contrôle volontariste peut équivaloir en pratique à la répression alors qu'il faut au contraire procéder par voie d'intégration des différentes forces de la personnalité.

Une autre raison de cette attitude nuancée est à rechercher dans le fait que des pratiques trop dures peuvent nuire au processus de croissance plutôt que le faciliter. Underhill cite à ce propos le témoignage d'un mystique qui confiait que les austérités qu'il s'imposait au début de son cheminement lui apportaient surtout des indigestions, des insomnies et des rhumes de cerveau[4]!

Enfin, les auteurs mystiques font fréquemment remarquer que les ascètes sont souvent tentés de verser dans le culte de la performance, ce qui n'est qu'une façon à peine déguisée de remettre le moi en valeur sous couvert de renoncement.

Concrètement, les différents apprentissages décrits plus haut s'articulent autour d'un axe central constitué par l'apprentissage de la méditation. C'est pourquoi l'entraînement majeur, la véritable ascèse concernent davantage l'esprit que le corps. Comme le disait Richard de Saint-Victor, il s'agit essentiellement d'élargir et d'approfondir sa vision du réel.

Cet objectif requiert un long entraînement de la volonté, puisqu'il s'agit de se faire attentif à la réalité sous-jacente aux phénomènes qui se présentent devant soi (réalité matérielle et événements) et en soi (émotions, souvenirs, images mentales, etc.), et donc de retirer systématiquement son attention de ces phénomènes aussi bien extérieurs que mentaux.

Par la méditation, donc, le sujet se dégage de l'univers quotidien des phénomènes, pour s'appliquer à se mettre au diapason d'un réel qui lui demeure encore inconnu, puisqu'il ne l'a pas encore apprivoisé. Il s'agit à cette étape de développer patiemment sa faculté de concentration, et de laisser celle-ci se développer progressivement en capacité d'attention spirituelle, comme pour permettre aux choses et aux événements de livrer leur véritable secret.

Dans ce sens, la première étape de l'entraînement à la conscience mystique consiste dans l'apprentissage de l'introversion, ce terme étant compris non pas au sens courant de repliement sur soi en vue de s'analyser sans fin, mais au sens d'une entrée en soi dans le but de s'ouvrir de l'intérieur aux révélations du réel.

Underhill écrit à ce sujet: «Dans les stades initiaux, la pratique de l'introversion est volontaire, délibérée et difficile, tout comme le sont les premiers stades de l'apprentissage de la lecture ou de l'écriture. Mais tout comme la lecture ou l'écriture deviennent finalement automatiques, des habitudes se forment également à mesure que l'entraînement du mystique à l'introversion progresse, de sorte que cette capacité contemplative qu'il développe en vient à se situer parmi ses capacités normales[5]».

## L'ILLUMINATION

Cette deuxième étape se caractérise par ce que nous avons appelé tout au long de cet essai les expériences intérieures intenses. À l'étape précédente, le mystique en devenir pressentait que le monde et les humains sont habités de l'intérieur. À cette étape-ci, il lui est donné d'expérimenter ce qu'il pressentait.

Nous ne reprendrons pas la description systématique que nous avons faite de cette expérience dans les premiers chapitres, mais au besoin, le lecteur pourra se reporter au tableau de la page 50 pour se remémorer les dimensions proprement mystiques de cette expérience.

En passant, il est bon de se rappeler que nous sommes en train de décrire les éléments dominants des trois phases d'un processus unique. Ce schéma ne doit pas nous faire oublier que dans la pratique, ces phases se recoupent partiellement. Ainsi, il peut très bien arriver qu'une ou deux expériences d'illumination aient pour effet d'amener un sujet à s'engager dans l'étape de l'introversion. Cela ne change pas le fait que la majorité des mystiques s'entendent pour présenter cette sorte d'expériences comme typique de la deuxième étape.

Il y a d'ailleurs un lien organique entre cette seconde étape et la première, où le sujet s'engageait de plus en plus dans l'expérience de la méditation, se mettait en harmonie de plus en plus complète avec le rythme profond des choses, en venait à pressentir de plus en plus clairement son insertion dans un monde plus unifié qu'il ne paraît d'abord et à se détendre de plus en plus dans cette conscience.

C'est pourquoi une expérience intérieure intense qui n'aurait pas été préparée par le cheminement de la première étape, ou qui n'aurait pas été suivie par ce cheminement, risquerait de demeurer un événement isolé dans la vie du sujet. Le mystique au sens propre du terme ne se caractérise donc pas par le fait qu'il ait vécu de telles expériences, puisque beaucoup d'autres que lui en ont vécu aussi.

Ce qui est typique du mystique, c'est que ces expériences s'insèrent dans un cheminement d'ensemble. Beaucoup de gens ont «vu Dieu dans la nature» et ont été bouleversés de sentir tout à coup que tout l'univers était habité. Mais cette expérience peut s'arrêter là, comme si le sujet acceptait que la porte subitement entrouverte se referme à jamais. Pour ces sujets, la prise de conscience aura été fugitive.

Underhill écrit: «Là où une telle conscience est récurrente, comme c'est le cas pour beaucoup de poètes, il en résulte une prise de conscience partielle mais souvent bouleversante de la vie infinie immanente dans toutes les choses vivantes... Lorsque cette prise de conscience atteint ses formes les plus élevées, au point que le voile disparaît à cause de la lumière derrière lui, (...) on atteint le point où le poète fait place au mystique[6]». Et c'est alors que notre deuxième étape débouche sur la troisième.

Illustrons par un exemple cette orientation mystique présente en germe chez toute personne, et en particulier chez tout poète. Dans son journal, la chansonnière américaine engagée Joan Baez raconte ce qui suit. «J'étais restée assise sous un chêne, ce jour-là, pendant la méditation. Les compagnons de mon heure solitaire étaient le sol brûlant et épineux, le chant d'un grillon, le grand arbre et le vent. (...) J'essaie de concentrer mon attention. J'ai conscience d'être dans un état d'attente. Il me semble qu'il va arriver quelque chose. Concentrer mon attention. Répandre mes pensées librement. Me dégager l'esprit pour la centième fois en vingt minutes. (...) Prépare-toi car cela s'approche. Précédés d'un sanglot, les mots font leur entrée. Voilà une phrase. Portée par le vent, elle brise au passage la barrière du temps et elle dit: 'Tu es indestructible.' Mon Dieu, je suis indestructible. Une jeune femme sanglote sous un chêne. Elle sait que son corps n'est autre chose qu'une fragile petite branche et qu'il ne durera pas très longtemps. Mais elle vient d'entendre la réponse à une question qu'elle n'avait même pas eu conscience d'avoir posée. Elle est indestructible. Quelque chose en elle appartient au toujours-présent qui est l'éternité.[7]».

Ce témoignage fait bien ressortir l'enchaînement organique de nos trois étapes. Le sujet pratique régulièrement la méditation, ce qui a pour effet de faciliter l'émergence d'expériences intérieures intenses, et ces dernières l'orientent vers la conscience de la présence constante de l'éternité (ou de l'éternelle présence) au coeur de son quotidien.

## LA CONTEMPLATION

Avant de décrire cette troisième étape de l'apprentissage de la conscience mystique, disons un mot des crises qui ponctuent l'ensemble de cet apprentissage. On remarque fréquemment que l'enfant qui apprend à marcher est porté à régresser d'une façon plus ou moins prononcée dans son langage. Ce phénomène porte à croire que les ressources disponibles *à un moment donné* pour la croissance sont limitées, de sorte qu'un investissement massif dans un apprentissage pourrait entraîner un freinage temporaire, voire même des troubles fonctionnels passagers, au niveau d'autres apprentissages.

Ce phénomène pourrait rendre compte des fameuses «nuits» évoquées par les grands contemplatifs, à différents moments de leur itinéraire. Underhill écrit à ce sujet: «Le développement mystique normal est un mouvement ordonné de l'ensemble de la conscience vers des centres supérieurs, dans lequel chaque affirmation intense et progressive épuise les pouvoirs transcendants et se solde par une (...) régression de l'ensemble de la conscience», lors de laquelle les habiletés que le sujet avait développées lui semblent maintenant tout à fait perdues[8]. Mais ces nuits finissent par passer, à mesure que le sujet parvient à consolider ses nouveaux apprentissages.

Si l'on tente maintenant de décrire l'essentiel de cette troisième phase, on se retrouve en présence de deux phénomènes qui sont présentés comme distincts mais qui sont en même temps difficiles à distinguer!

D'une part, les contemplatifs parlent de «l'oraison d'union», dans laquelle le sujet peut s'engager à volonté, et qui se présente comme un contact direct et continu de l'esprit et de l'affectivité avec la vérité, l'unité ou la présence qui avaient été pressenties à l'étape de l'introversion et expérimentées par brefs épisodes à l'étape de l'illumination.

D'autre part, les mêmes contemplatifs parlent également d'expériences extatiques qui auraient sensiblement la même nature que l'oraison d'union, avec cette différence cependant qu'elles seraient si intenses que le sujet ne pourrait ni y entrer ni en sortir à volonté.

Alors qu'à l'étape précédente, les expériences de type mystique dites illuminatives «arrivent spontanément», à la troisième étape, c'est délibérément que le sujet peut s'y engager, suite à son long entraînement. Mais ici aussi, la distinction entre l'oraison d'union et l'extase nous oblige à maintenir jusqu'à la fin cette ambivalence du phénomène mystique, qui est à la fois dépendant et indépendant des centres de contrôle conscient du sujet.

Jusqu'à la fin, l'expérience du contemplatif lui apparaît donc à la fois comme découlant des décisions qui ont façonné son existence et comme indépendante de lui, les théologiens diraient à la fois comme immanente et transcendante.

## VERS UNE QUATRIÈME ÉTAPE

Dans l'histoire de la spiritualité chrétienne, les performances rapportées à cette troisième étape étaient à la fois si difficiles à atteindre et si enviables que l'on s'imaginait volontiers que les rares privilégiés n'avaient plus qu'à se perdre en Dieu et à jouir indéfiniment de ces «consolations mystiques».

Jean Cassien, un moine des quatrième et cinquième siècles, écrit ainsi: «Le contemplatif, arrivé au sommet du mont de la contemplation, ne vit pas réellement dans ce monde, mais dans la vraie patrie. Semblable aux saints anges, il jouit déjà de leur compagnie[9]».

Cette vision courante est cependant battue en brèche par de nombreux mystiques, pour qui l'accession à la conscience mystique n'est *pas* la dernière étape de l'itinéraire chrétien. «Notre vie n'est complète, écrit le mystique du quatorzième siècle Ruysbroeck, que lorsque la contemplation et le travail habitent en nous côte à côte, et que nous sommes parfaitement dans les deux en même temps[10]».

Un autre mystique contemporain affirme pour sa part: «Dans la contemplation, tu ne sers que toi, dans les oeuvres droites tu sers beaucoup de personnes.» Même dans ses performances les plus gratifiantes, l'expérience mystique se coule dans l'orientation de fond de la spiritualité chrétienne, qui est axée sur le service concret d'autrui: «Si quelqu'un était dans une extase du genre de celle que saint Paul a un jour connue, et qu'il savait qu'un homme malade désire un bol de soupe, il serait beaucoup mieux pour lui de se dégager de cette extase et de servir celui qui est dans le besoin[11].»

Intervenir pour que le pauvre ait à manger, c'est beaucoup plus terre à terre que l'expérience intérieure intense, mais au dire de certains mystiques eux-mêmes, c'est beaucoup plus important!

Ayant investi tant d'énergie, de courage et de détermination dans sa croissance personnelle, le mystique a libéré en lui des couches d'énergie jusque là à peine soupçonnées. Le moi s'est unifié, articulé, a pris possession de tous ses moyens, et le sujet est maintenant en mesure de connaître une fécondité nouvelle.

C'est ainsi qu'Underhill écrit: «Étant enfin parvenu à la pleine conscience de la réalité, l'esprit de l'homme complète le cycle de l'être et retourne féconder les niveaux d'existence d'où il est issu [12].»

Incidemment, on peut penser que c'est ce phénomène qui est évoqué par l'auteur du quatrième Évangile, lorsque celui-ci fait dire à Jésus: «Si quelqu'un a soif, qu'il vienne à moi, et que boive celui qui croit en moi. Comme l'a dit l'Écriture: 'De son sein couleront des fleuves d'eau vive.'» (*Jean 7, 37-38*)

Nous reviendrons au chapitre suivant sur cette dimension sociale de l'expérience mystique. Mais j'aimerais conclure en laissant une dernière fois la parole à Evelyn Underhill, qui nous a accompagnés tout au long du présent chapitre. Celle-ci termine son étude en se demandant si les mystiques sont des déviants ou au contraire nos précurseurs dans l'humanité.

Ayant fréquenté les écrits des mystiques pendant plus de cinquante ans, l'auteure affirme que «le germe de la même vie transcendante, la source de la même énergie fascinante se trouvent latents en chacun de nous et font partie intégrante de notre humanité».

Et celle-ci de poursuivre: «Tout comme au plan physique l'embryon humain passe par les mêmes étapes de la croissance initiale, ainsi en va-t-il au plan spirituel.» Lorsque le processus de sa croissance se trouve enclenché, «l'individu normal connaît autant que les mystiques l'ascension en spirale vers les niveaux supérieurs, les oscillations de la conscience entre la lumière et l'obscurité, et les invasions soudaines des régions subliminales, (...) bien qu'il puisse les interpréter autrement que dans un sens mystique».

Lorsque cela survient, toute personne «se sentira portée elle aussi vers une auto-discipline rigoureuse, vers une purification délibérée de ses yeux de manière à mieux voir, et recevant une nouvelle vision du monde, se sentira menée à l'engagement total de soi (...) à cet aspect de l'Infini qu'elle aura perçu[13].»

1. UNDERHILL, E., *Mysticism, A Study in the nature and development of Man's spiritual consciousness,* New York, New American Library, 1955, (c. 1910).
2. J'emprunte ces propositions à un article qui a d'abord été publié en 1960 par ANS Press, Duton & Company, et reproduit en 1980 dans WOODS, R. (ed.), *Understanding Mysticism,* New York, Doubleday & Company, sous le titre *The Essentials of Mysticisim,* pp. 26-41.
3. UNDERHILL, *Mysticism...,* p. 32.
4. UNDERHILL, *Mysticism...,* p. 35.
5. UNDERHILL, *Mysticism...,* p. 303.
6. UNDERHILL, *Mysticism...,* p. 234-235.
7. BAEZ, J., *Le lever du jour,* Stock, 1968 (c. 1966), pp. 179-183.
8. UNDERHILL, *Mysticism...,* p. 381.
9. Cité par GALILEA, S., La libération en tant que rencontre de la politique et de la contemplation, *Concilium,* 96, 1974, p. 21.
10. Cité par UNDERHILL, *The Essentials...,* p. 41.
11. MAÎTRE ECKHART, cité par FOX, M., Meister Eckhart and Karl Marx: The Mystic as Political Theologian, dans WOODS, R., (ed.) *Understanding Mysticism,* New York, Doubleday and Company, 1980, pp. 542-543.
12. UNDERHILL, *Mysticism...,* p. 414.
13. UNDERHILL, *Mysticism...,* p. 445.

# CHAPITRE 12

# «Peakers» et «non peakers» chez Maître Eckhart

Dans les milieux religieux, Eckhart émerge lentement du purgatoire où l'avait projeté sa condamnation par le pouvoir ecclésiastique en 1329, et où l'a maintenu pendant des siècles la peur d'une pensée si libre et si dérangeante.

La chose est heureuse, car cet auteur est salué par des marxistes comme un «mystique de la gauche», le «théoricien médiéval de la lutte des classes», et un «précurseur de Marx», reconnu par des Hindous et des Bouddhistes comme présentant de profondes affinités avec leurs traditions spirituelles respectives, et mentionné par le psychanalyste Jung comme celui qui lui a fait découvrir la voie de la libération psychologique[1].

Un théologien américain, qui a traduit et commenté trente-sept sermons de Maître Eckhart dans un volume de six cents pages, écrit à son sujet: «Je pense vraiment que vous chercherez longtemps dans la spiritualité contemporaire *et* dans les six derniers siècles de la spiritualité chrétienne pour trouver un auteur qui a aussi profondément intégré la théologie biblique et la spiritualité, le prophétisme et le mysticisme, la foi et la raison, l'art et la vie»[2].

Né en Allemagne en 1260 dans une famille de chevaliers, Eckhart entrera par la suite chez les Dominicains qui le feront étudier d'abord en Allemagne puis à Paris. Rentré en Allemagne, il sera élu supérieur de sa province religieuse, retournera par la suite enseigner la théologie à Paris (d'où le nom de «Maître Eckhart»), là même où son confrère dominicain Thomas d'Aquin avait enseigné — et avait été condamné! — quelques années plus tôt.

Revenu de nouveau en Allemagne, il consacrera beaucoup de temps à la prédication, ce qui lui vaudra rapidement une réputation considérable. Eckhart se sentait en effet plus fécond dans ce type d'intervention au coeur de la vie, que dans les hauts lieux du savoir universitaire. C'est loin du formalisme académique qu'il pouvait commenter librement l'Écriture et stimuler ses auditeurs et ses lecteurs dans leur réflexion et dans la prise en charge de leur existence.

Mais la liberté qu'il avait conquise dans sa propre existence et la liberté qu'il invitait ses auditeurs à conquérir dans la leur, effrayèrent le pouvoir ecclésiastique, qui condamna Eckhart pour vingt-six propositions dangereuses retracées dans ses écrits. Celui-ci se rétracta, ne voulant pas se placer dans une position d'hérétique, mais disant malicieusement de ses accusateurs: «Ils considèrent comme des erreurs tout ce qu'ils ne réussissent pas à comprendre, et ils considèrent toute erreur comme une hérésie...[3]»

Dans les chapitres précédents, nous avons vu comment l'insécurité provoquait la rigidité affective et diminuait ainsi la probabilité de l'expérience intérieure intense, alors qu'inversement, la sécurité était associée à la détente intérieure et facilitait cette expérience intérieure intense.

Ce phénomène de tension-détente en relation avec l'expérience intérieure apparaît central dans la pensée de Maître Eckhart. Celui-ci écrit: «Dieu se plaît en lui-même, et dans cette même démarche, il savoure toutes ses créatures.» Et Fox de commenter: «Dieu est vraiment présent dans la bonté et la douceur des choses, ainsi que dans les expériences d'extase que nous vivons dans la communion à tous ces dons», de sorte que «la spiritualité d'Eckhart est une spiritualité d'extases naturelles ou d'extases de la création»[4].

Nous examinerons tour à tour la façon dont Eckhart présente ces extases ou ces expériences intérieures intenses, ainsi que le fonctionnement qui les freine et celui qui les facilite.

## TROIS NIVEAUX DE CONSCIENCE

En guise d'entrée en matière, regardons la distinction que fait Eckhart entre trois niveaux de conscience, qui correspondent en même temps à trois étapes dans la croissance spirituelle.

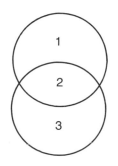

**Figure 6:** *Trois niveaux de conscience*

Le niveau initial (1) est centré sur les données extérieures, c'est-à-dire celles auxquelles on accède par la connaissance des sens. Par rapport aux «réalités spirituelles», par exemple celles qui ont été évoquées à la page 48, on ne peut parler ici que de connaissances ou de croyances.

Eckhart dira à ce sujet que la personne qui n'a pas accédé au troisième niveau de conscience, «qui n'est pas habituée aux choses intérieures», ne peut savoir ce qu'est Dieu, et elle est comparable à un homme qui *sait* qu'il a du vin dans sa cave mais qui, parce qu'il ne l'a pas goûté, n'est pas conscient du bon goût de ce vin.

C'est pourquoi Eckhart ne craint pas d'affirmer que ce premier niveau est en fait le niveau de l'ignorance des réalités spirituelles, le niveau où les sujets «ne savent pas ce qu'est Dieu, tout en étant pourtant convaincus qu'ils sont vivants[5]».

Ce premier niveau de conscience — Eckhart dirait plutôt d'«inconscience»! — est assimilable au péché, parce que le mal «se tient à l'extérieur, tire et dirige les choses vers l'extérieur, détourne des choses intérieures, centre sur les différences, la division et le retrait, et fait dériver[6]».

Le second niveau (2) est un niveau intermédiaire, où la personne n'est plus fermée sur ses biens de consommation matériels et psychologiques comme au niveau 1, mais n'a pas encore accédé à la surface intérieure du réel. Au niveau intermédiaire, la divinité est pressentie derrière la création. Le sujet se fait disponible pour accueillir ce qui émerge de l'intérieur, il sent qu'il y a un au-delà aux biens immédiats, que le réel possède d'autres dimensions que la matière, le temps et l'espace; mais ce pressentiment n'a pas débouché encore sur une prise de conscience claire.

Au troisième niveau (3), le sujet fait l'expérience immédiate du réel dans ses dimensions centrales, il savoure intensément la réalité de l'intérieur[7].

Le grand enjeu de la vie spirituelle consiste donc non pas à «fuir le monde», mais à passer de la surface des choses à leur face intérieure. Eckhart dit en ce sens: «Si tu veux la noix, brise la coquille[8]». Lorsque Maître Eckhart faisait des sermons, ce n'était donc pas pour détourner de la création, mais au contraire pour apprendre à s'en pénétrer: «Celui qui ne connaîtrait rien d'autre que les créatures n'aurait pas besoin de sermons parce que chaque créature est pleine de Dieu et elle est un livre» sur Dieu [9].

## L'EXPÉRIENCE INTÉRIEURE INTENSE

Ce qui permet de passer du premier au troisième niveau de conscience, c'est la «percée» (breakthrough), l'illumination, l'extase ou la naissance, ces mots étant synonymes dans l'oeuvre du prédicateur allemand. Voici comment celui-ci évoque cette expérience:

«Il arrive souvent que ton coeur soit touché et détourné du monde.» (Entendre: que ton coeur soit libéré de la dynamique de l'accumulation des biens matériels et psychologiques.) «Comment cela peut-il se faire sinon par l'illumination? (...) Tu te sens attiré à Dieu et tu deviens conscient de plusieurs inspirations, mais en même temps, tu ne sais pas d'où elles viennent...»

L'expérience décrite ici semble revêtir un net caractère d'intensité: «Cette naissance apporte toujours une lumière brillante dans l'âme. (...) Dans cette naissance, Dieu s'infuse lui-même dans l'âme de telle sorte que la lumière devient si abondante dans la fondation de l'âme qu'elle pousse vers l'extérieur et jaillit à l'extérieur...»

Une des caractéristiques de cette expérience est de provoquer un changement du niveau de conscience chez le sujet, le faisant passer d'une connaissance empirique (par les cinq sens) ou discursive (par le raisonnement) à une connaissance autre: «Malgré tout ce que tous les maîtres de la vie spirituelle ont appris à partir de leur propre raison et de leur conscience (...), ils n'ont jamais compris la moindre chose à propos de *cette* connaissance et de *cette* fondation de l'être[10]».

Une autre caractéristique de cette expérience consiste dans le fait que le sujet se sent étroitement inséré dans la réalité divine: «Dans cette percée, je réalise que je ne fais qu'un avec Dieu...[11]». Quant à ce qui peut favoriser cette expérience, Eckhart mentionne la tranquillité et le silence[12], et le recueillement plutôt que la dispersion[13].

Cinq cents ans avant les recherches de Maslow, de Greeley et des autres, Maître Eckhart énumérait l'essentiel des expressions utilisées par les sujets de Greeley pour traduire leur expérience intérieure intense (voir plus haut, p. 50):

– une joie intense[14];
– un grand accroissement de la connaissance[15];
– la confiance dans la survie personnelle[16];

- le sentiment d'être profondément inséré dans la réalité divine (voir ci-haut);
- la sensibilisation à autrui[17];
- un sentiment de paix profonde[18];
- le sentiment d'être envahi par la lumière (voir ci-haut);
- le décentrement par rapport à la course aux biens matériels et psychologiques (voir ci-haut);
- l'accroissement de l'autonomie et de la créativité (en correspondance avec Maslow ainsi qu'avec les témoignages présentés plus haut).

### «PEAKERS» ET «NON PEAKERS»

Pour le mystique dominicain, les dispositions psychologiques propres à favoriser l'expérience intérieure intense sont les suivantes:

- la sécurité intérieure qui permet au sujet de s'ouvrir et de prendre le risque de se tromper[19];
- le fait d'être attentif à ce qui se passe en soi[20];
- la détente et le recueillement[21].

Ce concept de détente intérieure évoque beaucoup mieux que celui de renoncement l'attitude qui est en cause ici, et par laquelle le sujet cesse de se contrôler et de se forcer pour laisser son expérience prendre forme en lui. Dans le texte suivant, Eckhart montre bien comment plus on se force, plus on se coupe de soi et plus on s'égare, alors qu'inversement, plus on se détend, plus on s'abandonne, et plus les choses que l'on cherche ont de chances de survenir. Notons comment dans ce texte, l'auteur joue sur l'opposition entre le fait d'*abandonner,* qui est souvent compris comme une démarche volontariste et stérile, et celui de *s'abandonner,* qui est une démarche de détente et de fécondité. Dans la détente, le sujet abandonne les choses, non pas au sens où il romprait brusquement avec elles, mais au sens où il libère doucement le lien qui les attachait à lui.

«Les gens qui cherchent la paix dans les choses extérieures, lieux ou modes, ou gens ou oeuvres, ou les pays
lointains, ou la pauvreté, ou l'abaissement, si grand que ce
soit ou quoi que ce soit, tout cela n'est pourtant rien et ne
leur donne pas la paix. Ils cherchent tout à fait mal, ceux
qui cherchent ainsi: plus ils s'éloignent, moins ils trouvent ce
qu'ils cherchent. Ils vont comme celui qui a perdu sa route:
plus il s'éloigne, plus il s'égare. Alors que doit-il faire? Il doit
d'abord s'abandonner lui-même, ainsi il aura abandonné
toutes choses. En vérité, si un homme abandonnait un
royaume et le monde entier et qu'il se garde lui-même, il
n'aurait rien abandonné. Oui, et si un homme s'abandonnait
lui-même, quoi qu'il garde, richesse, ou honneur, ou quoi
que ce soit, il aurait abandonné toutes choses. (...) C'est
pourquoi Notre-Seigneur dit (...): 'Celui qui veut me suivre,
qu'il se renonce d'abord lui-même'[22]».

Ce texte évoque l'enjeu central de la vie spirituelle,
qu'on peut formuler ainsi: comment chercher pour trouver?
Sous une forme paradoxale mais néanmoins exacte, la réponse est la suivante: il faut chercher comme ne cherchant
pas. Psychologiquement, ce qui est en cause ici, c'est un
mélange de décentration par rapport à soi et d'attention à
soi en même temps, comme si le sujet se permettait de devenir n'importe quoi tout en se préoccupant d'identifier ce
qu'il est en train de devenir!

Dans le texte suivant, Eckhart évoque bien ce paradoxe
de la cohabitation de la détente et du contact avec soi:
«Hier, j'étais quelque part, et j'ai prononcé une phrase qui
se trouve dans le Notre Père: 'que ta volonté soit faite'. (...)
Cette phrase possède deux significations. D'abord, 'sois en
état de sommeil par rapport à toutes choses', c'est-à-dire
ignore le temps, les créatures, les images (...) de façon à
pouvoir percevoir ce que Dieu est en train de faire survenir
en toi. C'est pourquoi l'âme dit, dans le *Cantique des cantiques:* 'Je dors, mais mon coeur veille'[23]».

Maslow affirme qu'il n'y a pas de différence de nature
mais seulement une différence de degré entre les «pea-

kers» et les «non peakers». Pareillement, Eckhart écrit que la semence de Dieu se retrouve et demeure en tout être, et qu'un cultivateur avisé peut la faire jaillir du sol, alors qu'un cultivateur mal avisé peut l'étouffer et l'empêcher de se développer. Il poursuit: «Le grand maître Origène présente une comparaison: l'image de Dieu, le Fils de Dieu en nous est dans le fond de l'âme comme une source vive. Mais si l'on jette sur elle de la terre, c'est-à-dire le désir terrestre, elle est entravée et couverte, en sorte que l'on n'en reconnaît et n'en voit plus rien; cependant elle reste vivante en elle-même, et quand on enlève la terre, elle réapparaît et on la boit.[24]»

C'est donc la façon dont les sujets fonctionnent qui les empêche de laisser jaillir cette semence ou cette source. Et lorsque le prédicateur allemand décrit ces sujets, nous retrouvons les mêmes caractéristiques des «non peakers» que nous avons présentées dans les chapitres précédents:

- ils sont insécures et centrés sur les détails[25];
- ils sont dispersés à la périphérie de leur être où ils sont centrés sur les choses extérieures[26];
- ils ont une pensée bi-polaire (oui-non, blanc-noir, vrai-faux) qui leur permet de tout catégoriser[27], ce qui entraîne la prétention de se connaître eux-mêmes et de connaître Dieu, alors que le fond de l'être humain demeure mystérieux et que Dieu habite la profondeur de l'inconnaissable[28].

Or, dans la mesure où toute personne présente spontanément en elle ces traits de personnalité des «non peakers», ne serait-ce que sous forme de dispositions latentes, il s'ensuit que l'expérience intérieure intense provoquera normalement des résistances initiales chez le sujet. Et ce phénomène de résistance se révélera évidemment beaucoup plus marqué si on ne parle plus d'une expérience isolée mais si on songe à l'accession au troisième niveau de conscience.

Pour illustrer ce phénomène, Eckhart prend l'image du feu qui veut enflammer la bûche mais qui trouve d'abord celle-ci tout à fait différente de lui, craquant et fumant à son contact. Puis peu à peu, à mesure que le feu et le bois font corps et deviennent semblables, la bûche s'apaise en se laissant embraser[29].

## LES CONSOMMATEURS DE RELIGION

Il n'y a pas que les recherches actuelles sur l'expérience intérieure intense qui se retrouvent à l'état de germe dans l'oeuvre d'Eckhart. Statistiques en moins, on y trouve également l'essentiel de la distinction d'Allport entre les «utilisateurs» de la religion et les sujets authentiquement religieux.

Pour Eckhart, l'évolution vers la conscience mystique se trouve compromise par une mentalité commerciale qui voit dans la religion non pas une aventure de croissance globale, mais un ensemble de moyens pour obtenir des bénéfices psychologiques à court terme.

«Il y a des gens qui se représentent Dieu comme ils se représentent une vache et qui l'aiment comme ils aiment leur vache — pour le lait, le fromage et le profit qu'ils en tirent...» Une telle attitude a selon lui pour effet de stériliser complètement l'expérience religieuse, même si les personnes en cause respectent les croyances et les pratiques religieuses. «Tant que nous accomplissons nos pratiques dans le but du salut ou pour aller au ciel, nous sommes sur la mauvaise voie[30]».

Quatorze siècles avant Eckhart, Jésus avait souligné lui aussi l'incompatibilité psychologique entre une mentalité commerciale qui réduit les choses et les personnes à autant de moyens pour atteindre des bénéfices, et une mentalité religieuse qui s'emploie à reconnaître le mystère de chaque chose et de chaque être: «On ne peut servir Dieu et l'argent» (Lc 16, 13).

Cette critique de la religion va très loin, jusqu'au désir même de gagner, de trouver ou de posséder Dieu — quel que soit le mot qu'on utilise. Pour Eckhart, même ceux qui utilisent la religion pour obtenir de voir Dieu un jour tombent sous le coup de cette critique, parce qu'ils sont centrés sur l'obtention d'une récompense, et qu'ils ne peuvent alors que dégrader la religion en pratiques, si généreuses soient-elles, alors que la religion est essentiellement une naissance, un éveil, un appel[31].

Eckhart a là-dessus ces paroles marquantes: «Ce que Dieu attend le plus de toi, c'est que tu émerges de toi-même en accord avec ton être de créature, et que tu laisses pénétrer Dieu à l'intérieur de toi-même».

Dans cette dynamique, il n'y a plus de stratégies, d'objectifs ou de moyens. La personne est ce qu'elle est et elle fait ce qu'elle fait parce que les choses se présentent ainsi à elle de l'intérieur et qu'elle choisit tout simplement de répondre à la vie. Eckhart imagine le dialogue suivant pour illustrer ce point:

«'Pourquoi aimes-tu Dieu?' 'À cause de la vérité'».
«'Pourquoi aimes-tu la bonté?' 'À cause de la bonté'».
«'Pourquoi vis-tu?' 'Ma parole, je ne sais pas. Mais je suis heureux d'être en vie'.»[32]

Nous sommes ici au coeur de la religion intérieure, ou de «l'orientation religieuse intrinsèque», pour reprendre le jargon d'Allport, là où la personne avance parce qu'elle sait et là où elle sait parce qu'elle avance, sans d'autre motivation que de correspondre à ce qui émerge, au fur et à mesure de ce dévoilement.

## APPRENTISSAGE ET GRATUITÉ

Nous terminerons ce chapitre en examinant brièvement la position d'Eckhart face au caractère *appris* ou *reçu* de l'expérience intérieure intense. D'une part, le mystique affirme nettement qu'une telle expérience n'est pas en notre contrôle: «Ce n'est pas nous qui accomplissons le travail de nous éveiller nous-mêmes. C'est Dieu qui le fait, dans un geste de compassion divine[33]».

Par ailleurs, l'auteur affirme nettement que la percée dans la conscience mystique est affaire d'apprentissage: «L'homme ne peut pas l'apprendre (à posséder Dieu) par la fuite, en fuyant les choses et en se détournant de l'extérieur pour pénétrer dans la solitude; il doit bien plutôt apprendre la solitude intérieure, où et proche de qui soit-il. Il doit apprendre à faire sa percée à travers les choses, y saisir son Dieu...[34]»

Il y a donc à la fois apprentissage et réception, ce qui rejoint la conclusion à laquelle nous étions parvenus au chapitre 10 (page 113). Eckhart fait la synthèse de ces deux éléments dans une affirmation qui est à la fois d'une grande concision et d'une grande audace théologique: «Si la nature atteint son plus haut point» (entendre: par l'apprentissage), «Dieu va donner sa grâce. (...) À l'endroit et au moment où Dieu te trouve prêt, il *doit* passer à l'action et s'infuser à l'intérieur de toi».

S'il en est ainsi, ce n'est pas parce que la personne aurait trouvé prise sur le mystère de Dieu, mais c'est parce que «Dieu est mille fois plus désireux» de s'approcher de la personne que celle-ci ne l'est de s'approcher de lui[35].

La pensée du théologien spirituel allemand des treizième et quatorzième siècles nous révélerait sa fécondité à partir de plusieurs autres thèmes. Je n'ai voulu ici que l'examiner brièvement pour en dégager l'éclairage sur ce qui nous occupe plus directement.

1. Voir FOX, M., *Breakthrough: Meister Eckhart's Creation Spirituality in New Translation,* New York, Doubleday and Company, 1980, pp. 2-3; FOX, M., Meister Eckhart and Karl Marx: The Mystic as Political Theologian, dans WOODS, R., (ed.), *Understanding Mysticism,* New York, Doubleday and Company, 1980, p. 542.
2. FOX, *Breakthrough...,* p. 6.
3. ANCELET-HUSTACHE, J., Master Eckhart and the Rhineland Mystics, New York, Harper Torchbooks, 1957, p. 124, cité par Fox, *Breakthrough...,* p. 22.
4. FOX, *Breakthrough...,* pp. 76 et 80.
5. FOX, *Breakthrough...,* p. 131.
6. FOX, *Breakthrough...,* p. 461.
7. Voir FOX, *Breakthrough...,* p. 81.
8. FOX, *Breakthrough...,* p. 131.
9. FOX, *Breakthrough...,* p. 79 voir aussi pp. 224, 243 et 475.
10. FOX, *Breakthrough...,* p. 252-253.
11. FOX, *Breakthrough...,* p. 301-302.
12. FOX, *Breakthrough...,* p. 256.
13. FOX, *Breakthrough...,* p. 294.
14. FOX, *Breakthrough...,* p. 304.
15. FOX, *Breakthrough...,* p. 299.
16. FOX, *Breakthrough...,* p. 218.
17. FOX, *Breakthrough...,* p. 378 et 410.
18. FOX, *Breakthrough...,* p. 251.
19. FOX, *Breakthrough...,* p. 135.
20. FOX, *Breakthrough...,* p. 253.
21. FOX, *Breakthrough...,* p. 57-179.
22. MAITRE ECKHART, *Les traités,* traduction et introduction de Jeanne Ancelet-Hustache, Paris, Seuil, 1971, pp. 44-45.
23. FOX, *Breakthrough...,* p. 66-67.
24. FOX, *Breakthrough...,* p. 252.
25. FOX, *Breakthrough...,* p. 452-453.
26. FOX, *Breakthrough...,* p. 253.
27. FOX, *Breakthrough...,* p. 86.
28. FOX, *Breakthrough...,* p. 173-176.
29. FOX, *Breakthrough...,* p. 374.
30. FOX, *Meister Eckhart and Karl Marx ...,* pp. 546 et 544; voir aussi *Breakthrough...,* pp. 399-400.
31. FOX, *Breakthrough...,* p. 464.
32. FOX, *Breakthrough...,* p. 201-204.
33. FOX, *Breakthrough...,* p. 134.
34. MAITRE ECKHART, *Les traités...,* p. 49.
35. FOX, *Breakthrough...,* p. 241-242.

# CHAPITRE 13

# Expérience intérieure et expériences paranormales

Précisons d'emblée que le terme «paranormal» ne signifie aucunement que je me proposerais d'explorer dans ce chapitre le côté éventuellement pathologique de l'expérience intérieure intense. Le terme «paranormal» désigne habituellement les expériences que les sujets peuvent vivre autrement que par l'intermédiaire de leurs cinq sens conventionnels (vue, ouïe, toucher, etc.) Au départ, ces expériences n'ont rien de pathologique en soi, et s'il y a quelque chose d'anormal dans la parapsychologie, c'est que la psychologie «ordinaire» prenne tant de temps à s'intéresser à des phénomènes beaucoup plus fréquents et normaux que plusieurs ne veulent l'admettre.

Ceci dit, nous examinerons le récit de quelques expériences qui semblent présenter des points communs avec l'expérience intérieure intense telle que décrite plus haut. Nous verrons ainsi tour à tour une expérience de parler «en langues», puis quelques rêves, une expérience avec lumière et audition, et deux récits d'«expériences extérieures intenses».

## EXPÉRIENCES CHARISMATIQUES

Plusieurs membres de groupes charismatiques font à des fréquences variables l'expérience de certains phénomènes paranormaux: parler «en langues», guérisons physiques, guérisons intérieures, etc. Ces phénomènes ont été jusqu'ici très peu étudiés par les psychologues, mais il semblerait à première vue qu'ils soient différents de l'expérience intérieure intense.

Par exemple, quelqu'un peut parler ou chanter «en langues» régulièrement, lors de sa réunion charismatique hebdomadaire, et ne pas en éprouver d'effets notables sur son fonctionnement personnel le reste du temps. Dans son texte célèbre souvent intitulé *L'hymne à l'amour,* l'apôtre Paul affirme pour sa part que le parler «en langues» peut exister en dehors d'une dynamique de croissance dans l'amour telle qu'on la retrouve habituellement chez ceux qui vivent fréquemment des expériences intérieures intenses. «Quand je parlerais en langues (...), s'il me manque l'amour, je suis un métal qui résonne...» (*I Co 13, 1*).

Il serait donc abusif d'identifier sans plus l'expérience intérieure intense aux différentes expériences spéciales vécues dans les milieux charismatiques, et ce, indépendamment de la valeur que ces expériences spéciales peuvent revêtir par ailleurs.

Mais en même temps, il ne faut pas aller à l'extrême inverse et exclure la possibilité que certaines expériences vécues dans un contexte charismatique, telles certaines expériences de «baptême dans l'Esprit», par exemple, puissent correspondre à l'expérience intérieure intense. Le témoignage suivant, qui émane d'une jeune femme dans la vingtaine, nous montre comment une expérience intérieure intense peut être suivie d'une expérience de parler «en langues», et comment cette dernière expérience peut se couler dans la première.

«Je venais d'être témoin de la joie éprouvée par une amie à l'occasion de sa libération. (...) Je me sentais débordante de joie, remplie d'amour, tellement pleine que j'eus le désir et le besoin que mon corps et non seulement ma sensibilité puissent exprimer ce que je ressentais. Plus ce désir s'intensifiait, plus j'avais la conviction que cela se produirait. Je sentis alors du centre de moi comme une émotion qui montait; je pouvais la localiser physiquement. Elle s'éleva jusqu'à ma bouche, et je sentis comme à mon insu mes lèvres s'animer et j'entendis des sons. Je savais que ces sons venaient de moi, que mes lèvres bougeaient. C'était en moi et en même temps c'était différent de moi. Je pouvais fermer ma bouche et tout se tairait, et je pouvais la laisser ouverte et écouter cette expression bizarre d'une partie de moi que je découvrais et qui me dépassait. C'était une vie, c'était moi et c'était plus! J'étais le lieu de cette expérience, j'étais participante, active, mais je n'étais pas la source, l'initiatrice. Je pouvais l'accepter ou la refuser. Ce n'était pas seulement mon esprit qui vivait, c'était tout mon corps, tout moi!»

On retrouve facilement ici plusieurs caractéristiques de fond de l'expérience intérieure intense, notamment les suivantes:

- l'émergence de l'expérience à partir de l'intérieur de soi: «Je sentis alors du centre de moi comme une émotion qui montait.»;
- l'aspect englobant et unifiant de cette expérience: «Ce n'était pas seulement mon esprit qui vivait, c'était tout mon corps, tout moi.»;
- la synthèse du sentiment d'immanence et du sentiment de transcendance, telle qu'on l'a vue plus haut: «C'était moi, et c'était plus!».

D'autres récits aussi détaillés que celui-là nous permettraient sûrement d'en apprendre beaucoup plus sur les phénomènes en cause, mais nous devrons pour l'instant nous contenter de ces brèves réflexions.

## EXPÉRIENCE INTÉRIEURE ET RÊVES

Le premier récit de rêve ne présente rien d'inhabituel en soi, mais il comporte des affinités évidentes avec l'expérience intérieure intense. Il attire ainsi notre attention sur le fait que certains de nos rêves pourraient bien, eux aussi, laisser des traces dans notre fonctionnement personnel.

«La semaine dernière, une compagne de travail arrive à l'école, resplendissante, me disant qu'elle a vécu un rêve extraordinaire: elle rencontra sa mère sous les traits d'une bonne amie à nous deux. Toujours dans son rêve, elles s'étreignirent et ce contact chaleureux leur apporta un tel bien-être qu'elles se mirent à danser et flotter dans l'espace. Ma compagne dit s'être réveillée dans un état de bien-être jamais ressenti dans sa vie. Elle est restée éveillée pour savourer cette grande paix qui l'envahissait. Son attitude et sa voix reflétaient encore ce qu'elle avait vécu en rêve. Je vois son rêve comme une expérience intérieure 'vécue en rêve'. Est-ce possible? Ma compagne me semble un 'peaker' en devenir...»

Tout le monde sait par expérience personnelle qu'un rêve peut provoquer diverses réactions pouvant être plus ou moins fortement ressenties au réveil: peur, tristesse, etc. Ce dont on est parfois moins conscient, c'est que les rêves pourraient avoir des fonctions ou des rôles à remplir dans le déroulement de notre existence éveillée. Par exemple, j'ai montré ailleurs comment, à l'image des songes anciens, certains de nos rêves ont pour fonction de nous sensibiliser à ce qui se prépare dans nos vies, et de nous aider ainsi à nous préparer à vivre ces événements[1].

En plus de cette fonction d'information, certains rêves ont une fonction de guérison évidente, c'est-à-dire qu'ils aident à intégrer en les «revivant» des expériences passées qui ont été difficiles. Lorsque ces expériences difficiles ont été associées à une personne, on peut alors parler d'une fonction de réconciliation, comme c'est peut-être le cas dans le rêve présenté plus haut.

Le rêve suivant provient d'une femme qui confie s'être endormie dans les dispositions suivantes: «Encore une fois, la journée a été fort bien remplie. Je me suis couchée fatiguée et le dos en compote, et je me suis endormie en méditant, comme cela m'arrive souvent. Et ce soir, ce qui est monté, c'est le poids des exigences de ma foi. (...) Par instants, je souhaiterais ne pas avoir la foi, la vie serait beaucoup plus simple.» Quelques heures plus tard, elle vivait le rêve suivant:

«Je suis dans un espace infini, et devant moi, un énorme diamant tourne doucement sur lui-même. Ce diamant est vraiment de taille démesurée, je dirais deux mètres cinquante dans le plus haut et peut-être deux mètres dans le plus large. Il tourne sur lui-même comme une planète, doucement, sans bruit, majestueusement. Je m'en approche avec précaution, et à mesure que je m'en approche, il m'apparaît plus grand. Il est splendide, taillé à la perfection, d'une transparence immaculée. Le mouvement de rotation continue lentement et me permet à chaque instant d'admirer une nouvelle facette. Et tout à coup, il se met à scintiller d'éclats magnifiques, et à la manière d'un feu d'artifice, des parcelles de lumière volent ici et là. C'est un spectacle grandiose, féérique, fascinant.

«Soudain, un petit éclat de lumière, une étincelle, tombe sur moi. Et alors, je deviens à mon tour lumineuse, petit diamant éclatant de mille feux et couleurs. Je rayonne de la même lumière, et je me regarde, étonnée, émerveillée. Puis, levant les yeux autour de moi, je vois une multitude de petits diamants qui scintillent. La lumière rebondit de l'un à l'autre et se multiplie, c'est extraordinairement beau. Tout cela dans un silence apaisant et absolu, dans une infinie douceur gracieuse. Chacun évolue librement, parmi les autres, et tous s'accordent dans un mouvement harmonieux autour du gros diamant central autour duquel nous gravitons.

«Et je me réveille sur cette vision lumineuse. Je me sens calme, apaisée, heureuse, et en même temps pleine d'énergie, émerveillée, ragaillardie. Je savoure ce bien-être, je voudrais que le temps s'arrête. Encore une fois, je me sens habitée, remplie, comblée par cette chaleureuse présence de mon Dieu. Et contrairement à l'habitude, ce contact dure et dure encore sans s'estomper. Je ne ressens plus le poids des exigences, au contraire. Je voudrais expliquer, mais les mots ne rendent pas. Alors je me tais et j'écoute... Ces mots me viennent: 'Le Seigneur est ma lumière et mon salut! De qui aurais-je crainte?' 'D'où me vient que la lumière de mon Seigneur vienne jusqu'à moi?' 'Seigneur, que veux-tu que je fasse?'»

On notera les ressemblances frappantes entre l'effet de ce rêve sur la personne qui l'a vécu, et les effets de l'expérience intérieure intense tels qu'on les a décrits plus haut: même effet de pacification, même effet énergisant, même expérience d'une présence intime, même difficulté à décrire cette expérience... Tout se passe comme si le fait que la personne ait fait cette expérience en état de sommeil plutôt qu'en état de veille ne change rien à l'impact de cette expérience sur elle.

Le rêve qui suit m'a été raconté par écrit quarante ans après avoir été vécu. Je suggère au lecteur de chercher en le lisant à identifier quelle pourrait être sa fonction. «Ce rêve, qui date de mon adolescence, est bizarre, indéchiffrable, et s'impose périodiquement à ma mémoire. Il m'a énormément impressionné justement parce que rien, à l'âge de dix-sept ans, ne m'y avait préparé, et rien dans mon comportement quotidien, dans mes expériences et dans mon petit vécu spirituel, ne pouvait me disposer à concevoir inconsciemment, encore moins à l'état de veille, une telle scène. Y eut-il, en ce temps-là, un incident antérieur que j'ai totalement oublié? Qui sait! Enfin, c'est le fond, l'étrangeté et l'interprétation de ce rêve que je cherche à définir aujourd'hui. Voici:

«Devant moi un petit lac absolument calme, limpide, sans le moindre reflet. L'entourant quelques bas monts touffus d'arbres variés. À quinze mètres de la butte où, debout, je scrute ce paysage, se trouve une grève de sable très fin vers laquelle descendent des buissons et des fleurs en quantité. Ici s'arrête toute comparaison avec semblable scène terrestre. Car, dès le premier instant, je n'ai pas l'impression d'être sur notre planète! Où? Cela n'a aucune importance dans mon rêve. Tout est coloré d'une façon si nette, si harmonieuse que son observation dépasse la réalité! Les couleurs du lac, des monts, des arbres, des fleurs, des grains de sable, jusqu'au firmament sans nuage, ne sont pas naturelles. Jamais je n'ai vu de telles couleurs, ni à l'état de veille ni à l'état inconscient du sommeil. D'ailleurs, ce fut *la première et la dernière fois.*

«Mon rêve n'est pas terminé. Ah, que non! Bien que cet événement semble avoir lieu en plein jour, je ne remarque ni soleil, ni lumière se réfléchissant sur le lac, ni ombre en quelque endroit. Il ne fait ni chaud ni froid; j'ai la sensation d'être très bien dans ma peau. Aucun souvenir de respirer une certaine atmosphère ni même de sentir l'odeur des fleurs environnantes. Bien plus, il n'y a pas de son. À ma gauche, assis sur un talus situé entre la grève et moi, trois hommes causent, font peu de gestes, opinent de la tête, mais sans remuer les lèvres. Ils portent des robes du genre antique, sobres et sans fantaisie. N'eut été le besoin de respecter une séquence logique à notre monde, j'aurais signalé leur présence dès le début. Cependant, comme il m'est déjà presque impossible de décrire la beauté des lieux, de même je ne peux décoder en langage humain la conversation 'télépathique' entendue. Je sais seulement que cette conversation était d'une grande sagesse, raffinée, très amicale, marquée par la bonté, la vérité et l'altruisme.

«Que j'aurais aimé me joindre à eux! Ils posèrent intensément les yeux sur moi, des yeux qui s'interrogeaient empathiquement sur mon sort et qui semblaient me souhaiter bon voyage, car il était évident que ce bref arrêt dans ces parages merveilleux n'aurait pu se faire sans l'assentiment tacite de mon guide! En effet, autre élément tout aussi important, un guide m'accompagnait pas à pas, que je ne pouvais voir mais que je savais là, un guide ou un esprit bienveillant qui ne tarda pas à me faire comprendre que cette aventure de rêve touchait à sa fin. C'est tout.

«Au réveil, j'étais très détendu, très calme. Je me souvenais que les trois êtres qui avaient posé leur regard sur moi avaient envisagé différents scénarios pour mon avenir, mais que c'était à moi de choisir. Je me suis toujours posé la question et je me la pose encore: est-ce simplement un rêve que j'ai fait, ou y a-t-il eu cette nuit-là quelque chose de plus? Et dans le deuxième cas, ai-je atteint le but qu'on attendait de moi? Je ne suis aucunement un prophète et je n'ai jamais eu l'impression d'être dirigé par la main de Dieu, mais je me préoccupe de correspondre à ce à quoi je serais appelé.».

Dans beaucoup de récits de «vie après la mort», la personne qui raconte avoir accédé momentanément à cet environnement mystérieux mentionne la présence d'un être chargé de l'accueillir et de l'accompagner dans cette expérience[2]. La présence de cet élément ici, quarante ans avant que de tels récits n'aient été «popularisés», invite à souligner quelques affinités entre ce rêve et ces expériences. On a ainsi:

— le caractère «extra-terrestre» de l'environnement décrit, et ce, de nombreuses années avant que les récits de voyages interplanétaires ne viennent répandre ce type d'imagerie;
— la présence discrète d'un guide;
— la prise de conscience — comme à regret — que cet épisode envoûtant doit se terminer;
— la prise de conscience d'une «mission» terrestre que le sujet doit assumer (ce terme étant pris dans son sens le moins spectaculaire possible).

Ce rêve a profondément marqué la personne qui l'a vécu, semblable en cela à beaucoup d'expériences intérieures intenses avec lesquelles il a d'ailleurs plusieurs caractéristiques en commun: intensité, dépaysement, grande paix, souvenir indélébile, effet d'intériorisation, etc.

On remarque aussi quelques points communs entre ce rêve et certains détails présentés dans l'épisode de la Transfiguration de Jésus, notamment:

— l'atmosphère de grande sérénité;
— le fait que Jésus se retrouve également confronté à trois scénarios, à savoir: monter à Jérusalem et être arrêté, fuir ou tenter un soulèvement populaire;
— la présence de deux hommes (plutôt que trois) qui

s'entretenaient paisiblement avec lui (*voir Luc 9, 28-31*).

Ce rêve exceptionnel nous amène ainsi à soulever la possibilité d'expériences spéciales dans lesquelles seraient partiellement abolies les frontières habituelles entre un rêve, une expérience intérieure intense et ce qui nous est présenté comme des expériences de vie après la mort.

## LUMIÈRE ET VOIX

L'expérience suivante irait elle aussi dans le sens de cette hypothèse. Il s'agit d'un récit qui comporte peu de traits en commun avec les épisodes de vie après la mort, mais où en revanche l'élément de «mission» est fortement marqué.

«Missionnaire en Bolivie, j'étais allé visiter un confrère qui vivait tout près de la frontière du Chili. Il vivait seul avec des Indiens. Depuis quelque temps, il se questionnait sur le sens de sa permanence comme missionnaire dans ce coin de pays. J'arrive, il se met à me parler de son inquiétude. Le soir venu, je lui dis de conserver cette inquiétude et de dormir avec elle.

«Vers les deux heures et demie ou trois heures du matin, en pleine nuit, je l'entends crier: 'José, ferme la lumière'. J'hésite quelques minutes avant de répondre, pour voir si c'était bien vrai ce que j'avais entendu. Voilà que de nouveau, il me répète la même phrase: 'José, ferme la lumière'. Je lui dis: 'Santiago, dors, il n'y a pas de lumière, tu rêves'. En même temps, il arrive dans ma chambre et il me dit: 'José, j'ai entendu quelqu'un qui m'a dit: *Santiago, reste ici, ne t'en va pas.* Je ne suis pas certain s'il a ajouté: *les gens t'aiment,* je ne me rappelle pas ce petit bout de phrase exactement'.

«Il est demeuré toute la nuit dans la petite cuisine. Je l'ai rencontré le matin vers sept heures. Aujourd'hui encore, il est avec ses Indiens, en Bolivie.»

Face à un tel récit, on peut «essayer» les interprétations classiques et dire que le sujet désirait tellement rester qu'il s'est convaincu que quelqu'un lui en avait mystérieusement donné l'ordre, ou qu'au contraire il voulait partir mais que son sur-moi lui a intimé l'ordre de rester...

Mais la théorie de l'auto-suggestion ou de la projection n'explique pas l'invasion de la lumière. On s'aperçoit d'ailleurs que ce phénomène de lumière est couramment associé aux expériences de mission, soit dans les récits d'après-mort où les sujets parlent d'un «être de lumière», soit dans les récits bibliques. Voici quelques exemples:

- à la Transfiguration, Jésus devient resplendissant de lumière (*Matthieu 17, 2*), et le texte de Luc fait explicitement mention de ce qu'il allait devoir vivre à Jérusalem (idée de mission — *Luc 9, 31*);
- sur le chemin de Damas, Paul se voit enveloppé de lumière et cette expérience est pour lui aussi reliée à sa mission (*Actes des Apôtres, 9,3ss.*), et il y a également audition d'une voix;
- quant à l'épisode du Baptême de Jésus, qui est traditionnellement relié à sa mission, il présente lui aussi l'audition d'une voix (*Marc, 1, 19-11*);
- rappelons-nous également que dans le rêve du diamant, qui est un rêve centré sur la lumière, la personne était amenée à demander à son réveil: «Seigneur, que veux-tu que je fasse?», ce qui nous ramène directement au thème de la mission.

Ces rapprochements ne visent pas à prouver que les récits bibliques sont historiques dans tous leurs détails, mais ils visent à éclairer les uns par les autres des témoignages qui, pris isolément, offrent peu de prise à l'analyse. On a vu à la page 50 que plusieurs sujets associaient leurs expériences intérieures intenses à un accroissement significatif de leur connaissance. Cette connaissance ne semble jamais porter sur des révélations spéciales (comme dans les phénomènes de prémonition), mais consiste plutôt dans une compréhension plus claire par le sujet des enjeux de sa propre existence. C'est dans ce sens que les épisodes évoqués ci-haut seraient reliés à la «mission» des sujets.

## EXPÉRIENCES «EXTÉRIEURES» INTENSES

Il reste à examiner deux témoignages qui se présentent sinon comme des expériences vécues au-delà de la mort clinique, du moins comme des expériences-frontières. Étant donné que lors de ces épisodes, l'attention du sujet se trouve centrée non pas sur ce qui émerge de lui mais sur ce qui survient dans son environnement immédiat, j'ai pensé que le terme d'expérience «extérieure» était plus de nature à évoquer ce qui est en cause. Voici donc le premier témoignage.

«Hospitalisée d'urgence, je subis une opération et je vis une expérience de dédoublement corps-esprit étonnante. Je 'vois' du dehors de mon corps, quelque part au-dessus, tout ce que l'équipe médicale est en train de faire sur le corps qui était le mien. Mon père (décédé dix ans plus tôt) est avec moi, entouré d'une lumière fulgurante, éclatante mais non aveuglante. Il est accompagné d'autres êtres, et essaie de me convaincre de la nécessité de retourner vers mon corps pour continuer de prendre soin de mes filles. Je refuse, trouvant trop magnifique de m'être débarrassée d'une carcasse encombrante, et sentant que ma situation actuelle est bien plus extraordinaire que la précédente.

«Cette conversation se passe dans un environnement lumineux, musical, béatifique, impossible à décrire avec des mots. En même temps, l'équipe médicale s'agite, s'énerve autour de mon corps devenu raide et je dis à mon père: 'Tu vois, c'est déjà trop tard, je ne veux plus retourner.' Mon père insiste, et à titre de consolation, me dit: 'Ce n'est pas encore ton heure, retourne et je viendrai t'avertir quand le jour de ta libération sera proche'. À la suite de cela, une angoisse mortelle m'envahit et je me retrouve dans une salle de réveil, désespérée d'être encore là.

«Il y aurait bien d'autres éléments à raconter de cette expérience, mais pour moi, cela m'a apporté comme fruits durables:

- la conviction d'une autre vie où les êtres, débarrassés de leur corps terrestre, se retrouvent avec leur identité mais dans une autre dimension que la matière et sous d'autres lois que celles qui règlent les corps physiques;
- la certitude que la résurrection est *instantanée* après la mort physique;
- la perte de la peur de la mort, qui était pour moi obsédante;
- la certitude que la deuxième naissance nous introduit dans un monde où l'accomplissement de soi devient total;
- la compréhension avec une lumière nouvelle des textes des grands mystiques et de certaines paroles de l'Évangile;
- la certitude que l'enfer est le néant, c'est-à-dire qu'après la vie terrestre, il n'y aura plus *rien*.

«Par la suite, j'ai l'impression d'avoir, à partir de cette expérience, une toute autre perception de la réalité, des êtres et de moi-même, d'avoir acquis beaucoup plus d'autonomie, de libération et d'assurance.

«Cette expérience demeure ce que j'ai vécu de plus merveilleux dans ma vie. À part mon compagnon, je n'ai pas pu en parler à qui que ce soit. Seulement, quand le livre *La vie après la vie* est apparu, j'ai compris, soulagée, que d'autres avaient vécu la même expérience et j'y ai fait allusion devant certains amis à l'occasion.»

La personne qui a rédigé ce récit n'avait jamais entendu parler d'expériences intérieures intenses auparavant. Ayant eu l'occasion d'étudier ce phénomène dans un cours, elle confie que d'avoir pu identifier ce qu'elle avait vécu dans le passé lui a été d'un grand secours.

À partir de ces points de référence, elle croit pouvoir affirmer que son expérience-frontière était de même nature que les expériences intérieures intenses vécues précédemment.

Dans les commentaires que fait cette femme de son expérience-frontière, l'utilisation des catégories chrétiennes est très marquée: résurrection, Évangile, enfer... On pourrait s'appuyer sur ce fait pour estimer que les croyances religieuses du sujet ont joué un grand rôle dans la *fabrication* de son récit.

À cet égard, on peut au moins faire remarquer que les propos du sujet s'écartent passablement des croyances religieuses traditionnelles: l'enfer n'est pas ici un lieu de punition et de souffrance, la résurrection n'est pas «la résurrection de la chair», contrairement au crédo officiel et il n'y a aucune trace du jugement dernier...

Il est inévitable qu'un croyant recourre à des concepts religieux pour nommer son vécu, et il arrive que des personnes déforment leur expérience humaine dont le sens leur échappe en y surimposant une interprétation religieuse inappropriée. Mais il serait abusif de croire que la simple présence de mots religieux dans la description d'une expérience a automatiquement pour effet d'invalider complètement celle-ci. Le dernier récit nous permettra de pousser plus loin notre réflexion sur la question.

Ce récit provient d'une personne que j'ai vue agir pendant quelques années et qui possède un équilibre affectif, une sagesse de vie et une sensibilité sociale que je situerais au-dessus de la moyenne. Je n'ai pas perçu d'exhibitionnisme chez elle, et c'est bien posément qu'elle a évoqué cette expérience, lors d'une conversation où je lui parlais de mon manuscrit en marche sur la question de l'expérience intérieure intense.

D'ailleurs, cette personne affirme explicitement que la rencontre vécue lors de son expérience-frontière est de même nature que ce qu'elle vit lors d'expériences intérieures intenses: «Il m'arrive encore très souvent de me sentir habitée par une présence chaleureuse. Cela arrive n'importe où, n'importe quand, et il m'arrive aussi de pouvoir la provoquer. Je me souviens aussi de l'avoir vécue, ressentie, cette chaleur, cette présence, lorsque j'étais enfant. C'est toujours la même, et cette rencontre m'apporte toujours joie, bonheur, bien-être, calme, paix, douceur, sérénité, et j'en passe.» Voici donc le récit de cette expérience.

«À l'âge de seize ans, je suis en pleine crise d'asthme à cause d'une allergie au chien. Je respire avec difficulté depuis plusieurs heures déjà lorsque ma mère me convainc d'aller voir le médecin. Je me déplace péniblement à cause de l'essoufflement et je suis à dix pas de la porte lorsque je me rends compte que je ne vois plus rien. Je me rappelle alors que la vue est le premier sens qui flanche quand quelqu'un meurt. Alors je me dis: 'Ça y est, c'est mon tour.' Je me dis cela sur un ton de constatation, sans paniquer.

«Puis j'ai eu l'impression de ne plus sentir mon corps, ni aucun malaise. Je me suis alors vue, de haut, appuyée sur une colonne, ma mère me tirant par le bras vers la porte du cabinet de consultation. Je voyais tout cela de haut, de plus en plus haut. J'étais spectatrice de mon agonie. J'avais l'impression que tout se passait à la fois très vite et intensément, un peu comme quand on voit au ralenti à la télévision l'homme ou la femme bionique se mettre à courir très vite. J'avais l'impression d'un vécu en dehors du temps.

«Par contre, le mouvement, l'espace, c'était toujours là. Je montais toujours. Puis, instantanément, je me suis détournée de ce que je voyais de moi et de ma mère, comme si tout cela n'avait plus d'importance. Il y avait quelque chose de plus important à voir dans une autre direction. Et c'est là que commence le plus merveilleux.

«D'abord, l'impression de traverser une zone grise, un silence, un terrain neutre, je ne sais comment dire. Un espace de transition peut-être, un lieu vide, comme un banc de brume à traverser entre deux espaces. Et tout cela se fait dans le calme absolu, sans aucun sentiment, ni crainte, ni regret, ni joie, ni tristesse, ni hâte ni inquiétude. Rien, sinon peut-être une certaine curiosité. Car l'impression d'avancer demeure, en même temps que l'intuition qu'il doit y avoir un lieu d'arrivée quelque part. Je ne sais pas combien de temps a pu durer ce que j'appellerais ce passage dans le néant. Néant parce qu'aucun des cinq sens ne perçoit quoi que ce soit, aucune émotion ne se ressent, aucun besoin ni désir ne se manifeste. Il n'y a eu alors pour moi que la certitude d'avancer dans un espace, et par là, la certitude aussi d'être vivante, de vivre une expérience importante.

«Puis, la 'brume' s'est peu à peu éclaircie. Comme quand on se promène au bord de l'eau tôt le matin et que peu à peu la brume se disperse. J'ai alors distingué quelques silhouettes, puis des visages. Des visages inconnus, mais souriants, accueillants. Je ne sais comment l'expliquer, mais je savais que ces personnes étaient déjà mortes un jour, je ne sais quand. Ces gens venaient m'accueillir, me souhaiter la bienvenue. Enfin, c'est ce que je percevais dans leur regard ou leur attitude, la communication n'était pas verbale. Ces personnes avaient l'air bien, sereines, paisibles, calmes, je me sentais bien. Je continuais 'd'avancer' parmi ces gens.

«Puis tout à coup ces personnes se sont éloignées comme pour laisser passer quelqu'un d'important qui s'en venait. Curieuse, j'ai regardé vers la droite, et alors, comme dans un rayon lumineux: une présence. Une lumière puissante, je devrais plutôt dire une luminosité, car l'éclat était doux et puissant à la fois, pas aveuglant du tout, pas violent, juste impressionnant. Et cette présence! C'est difficile à mettre en mots, puisque les mots, là, n'existent pas.

«Je crois pouvoir dire que j'ai *vu* quelqu'un, mais j'ai surtout *senti* sa présence. Je me souviens beaucoup mieux de l'impression ressentie que des traits observés. Cette personne était comme à la fois éclatante et transparente, avec un vêtement de pureté. C'est difficile à décrire parce que cela ne correspond à rien de connu ou de comparable. J'écris cela et cela me fait penser au récit de la Transfiguration. Je me souviens de l'intense douceur du regard, de la chaleur du sourire de cet homme.

«Le regarder, l'admirer, me laisser fasciner, savourer simplement cet immense bien-être devant lui, il n'y avait rien d'autre de mieux à vivre. Je me sentais habitée par une chaleur, accueillie dans un amour, je ne sais comment dire, je devenais moi-même transparence, chaleur, lumière. Quel bien-être! Quel bonheur! Une douceur... Et tout cela hors du temps, hors des mots. Et la communication, instantanée, était parfaite. Il y a eu une sorte de 'dialogue', d'"échange'. Je me sentais accueillie, acceptée de façon inconditionnelle. Et comme en me laissant le choix, cet être merveilleux m'invitait à vivre cette nouvelle vie de lumière.

«Je me souviens d'avoir pensé à ma vie terrestre en me disant: 'C'est dommage, il me restait tant de choses à faire et à apprendre.' Et comme si cette pensée avait tout de suite été comprise, j'ai senti que j'avais le choix de rester là ou de revenir. Et toujours avec le même respect, le même amour, la même chaleur, cette 'présence' m'a comme reconduite vers la 'zone grise'. Je me souviens d'être 'repartie' heureuse, chaude, lumineuse, enthousiaste. Et le premier souvenir que j'ai de mon 'retour sur terre', c'est d'ouvrir les yeux, de voir devant moi le médecin. Il a une seringue vide à la main, il me regarde attentivement et me dit: 'Eh bien toi, tu peux te vanter de m'avoir fait peur.' Je respire mieux, je me sens très bien. Je suis revenue à une autre vie, ma mère est bien contente.

«Voilà donc ce qu'a été mon expérience de vie après la vie, et de résurrection ou réincarnation. Cela n'a duré que quelques secondes ou quelques minutes, je ne sais pas, mais cela a changé ma vie, toute ma vie.»

Dans la mesure où nous nous sommes laissés transporter dans l'univers où cette personne nous a donné accès avec simplicité, il est difficile de passer tout de suite à une froide analyse du récit. C'est pourquoi nous nous limiterons pour l'instant à réfléchir sur la relation entre ce type d'expérience-frontière et l'expérience intérieure intense, en redonnant la parole à la narratrice.

«Je crois que les expériences-sommet vécues avant ou après cette 'mort' sont tout à fait comparables. C'est la même lumière, la même chaleur intérieure, la même présence. C'est le même bien-être, la même impression d'être hors du temps, la même paix, la même plénitude. Les mêmes effets aussi, le besoin de se tourner vers les autres, d'apprendre à être bon, généreux, patient, aidant, tout pareil, mais d'une plus faible intensité ou d'une moins longue durée, comme un avant-goût de l'éternel 'peak'.

«Je crois que c'est de là (de l'expérience-frontière) que me vient la certitude d'avoir quelque chose à apprendre à travers tout ce que je peux vivre. C'est de là que me vient aussi la conviction que j'ai quelque chose à faire, comme une mission à remplir auprès des autres. Je pense que c'est de là aussi que me vient cette passion pour la luminosité des levers et couchers de soleil sur l'eau, et l'amour des feux de bois chaleureux dans l'âtre ou le poêle, et spécialement cette préférence pour la chaleur irradiante de la braise par rapport à l'ardeur de la flamme vive.»

Par rapport à ce qu'elle appelle «l'éternel 'peak'», la personne ajoute ceci: «Je suis persuadée que ce que j'ai connu alors, même si c'était merveilleux au point de ne pouvoir le décrire tel quel, je suis sûre que ce n'était qu'une première étape, comme un avant-goût. Je suis sûre que dans cette autre vie, il y a aussi une croissance possible, un 'avancement' réalisable, je ne sais comment ni jusqu'où, mais j'ai l'impression de ne pas être allée jusqu'au 'bout'».

Elle termine son témoignage sur un dernier rapprochement entre l'expérience intérieure intense et l'expérience-frontière. «Un autre trait commun qui me revient: l'incontrôlable. Je ne suis pas maîtresse de ces expériences-sommet, pas plus que je ne l'ai été dans la vie au-delà. Cette 'présence' qui est vie et vérité, chaleur et lumière, domine, dirige, décide ou contrôle son mode de manifestation. Le plus que je peux faire est d'essayer de mon côté de créer les circonstances favorables ou les conditions propices pour la percevoir, l'accueillir.

«Je disais plus haut que cela m'arrivait de pouvoir *provoquer* les 'peaks'. Ce n'est pas tout à fait juste comme mot. Je devrais plutôt dire 'favoriser'. En fait, je crois que cette présence est constante et qu'elle n'attend que mes bonnes dispositions pour se manifester. Ces bonnes dispositions, cependant, ne dépendent pas toujours de ma bonne volonté. Il arrive que par hasard tout concorde et survienne sans prévenir, sans effort de ma part.»

On retrouve ici la position des mystiques telle qu'on l'a examinée plus haut, et en particulier celle du mystique Eckhart telle que présentée à la page 140. Ici encore, la même certitude de l'immanence de la source de vie en soi, cohabitant avec la même sensation profonde de la transcendance de cette source, ce qui amène les sujets à affirmer en même temps qu'ils ont libre accès à cette source, mais qu'ils ne peuvent la contrôler...

**CONCLUSIONS**

Les développements qui précèdent nous font déboucher sur cinq conclusions, que je formulerai brièvement en terminant:

1. Il y a des ressemblances profondes entre les différents types de récits que nous avons examinés dans le présent chapitre. Ces récits présentent suffisamment de caractéristiques en commun pour nous permettre de penser qu'ils touchent à la même réalité, même si celle-ci demeure difficile à identifier clairement.
2. Ces différents épisodes sont présentés comme ayant des effets importants, et la plupart du temps, ces effets consistent à confirmer le sujet dans le sérieux de son aventure humaine.

3. Cet effet de «confirmation» apparaît fondamentalement le même que la fonction initiale de la religion, qui est à la fois de pacifier ses adeptes et de les encourager à aller au bout d'eux-mêmes (je parle de fonction *initiale* de la religion, antérieurement donc à la perversion de la religion en moyen de contrôle social pour maintenir la stabilité des institutions).

4. Les récits d'expériences-frontières affirment que la mystérieuse «présence» ressentie lors des expériences intérieures intenses est la même que celle qui sera rencontrée au terme de la vie des sujets.

5. Les différents épisodes examinés nous parviennent tous obligatoirement sous la forme de récits, et donc à travers la subjectivité des sujets en cause. Or, ces sujets ont tous baigné dans la culture chrétienne. La progression dans l'exploration des phénomènes en cause devra donc passer par une critique plus serrée du rôle des croyances dans la perception de l'expérience.

---

1. HÉTU, J.-L., *Le hibou évangélique,* Montréal, Fides, 1980, chapitre 9: Le Dieu qui se révèle dans les rêves, et chapitre 10: Trois étapes dans l'interprétation des rêves.

2. Voir les deux récits plus bas, et MOODY, R., *Life After Life,* Bantam Books, 1976 (c. 1975).

# CHAPITRE 14

# Expérience intérieure et autosuggestion

Le pouvoir de notre inconscient ou de nos centres profonds sur nos états physiques et affectifs est de plus en plus reconnu et utilisé. Depuis une vingtaine d'années, une foule de volumes ont été publiés sur le sujet, vantant les mérites de la «pensée positive» et présentant des techniques simples pour utiliser celle-ci[1].

Ce courant repose sur un principe simple: l'organisme humain possède d'énormes ressources qui demeurent inexploitées tout simplement parce que nous n'apprenons pas à nous en servir. À vrai dire, nous en savons encore très peu sur la nature de ces ressources et sur leur façon d'opérer, mais ce fait ne devrait pas nous empêcher d'apprendre à les utiliser, même si ces apprentissages en seront immanquablement plus tâtonnants. Il en va d'ailleurs tout à fait de même dans le monde physique pour le phénomène de l'électricité: nous en savons encore très peu sur la nature de l'électricité, mais nous avons quand même appris à la capter, la canaliser et lui faire accomplir une foule de tâches...

Les gens «sérieux» se méfient des phénomènes d'autosuggestion, qu'ils assimilent volontiers à la crédulité, laquelle est souvent attisée d'ailleurs par des charlatans. Pour ces personnes, dire d'un phénomène que «C'est un cas d'autosuggestion.», c'est affirmer qu'il n'y a pas vraiment eu de changement ou de guérison, mais que le sujet est victime de ses illusions et qu'il connaîtra bientôt le réveil brutal à la réalité inchangée.

En réponse à ces critiques, les adeptes de l'autosuggestion font valoir que celle-ci n'est finalement qu'un cas particulier du phénomène d'apprentissage, qui consiste à poser les bons gestes susceptibles d'obtenir les bonnes réponses de la part de l'organisme.

La position que nous avons adoptée dans le présent essai est que l'expérience intérieure intense pourrait effectivement être interprétée comme une réponse de l'organisme à une certaine préparation plus ou moins consciente, quelque mystérieuse et spectaculaire que puisse être cette réponse.

Dans le récit suivant, nous verrons l'exemple d'une personne qui s'est systématiquement disposée à se guérir intérieurement, et qui a effectivement obtenu la guérison recherchée. Dans ses termes religieux, il s'agissait en fait pour elle de favoriser au maximum une «rencontre avec le Seigneur», un Seigneur à qui elle «demandait souvent» cette libération.

Mentionnons en passant que pour interpréter cette expérience en termes d'autosuggestion, il n'est pas nécessaire d'évacuer la réalité ou l'hypothèse de Dieu. Dans l'hypothèse où Dieu existe, en effet, il s'agit simplement de se demander comment le sujet a fait pour apprendre à le rencontrer et obtenir de lui la guérison souhaitée. La réponse n'est pas simple, mais ce récit devrait stimuler notre réflexion sur la question. Voici donc le récit de cette expérience.

## UNE EXPÉRIENCE D'EXTASE

«Je vivais une retraite personnelle de dix jours. J'étais installée dans la maison de ma soeur, une maison neuve dont le salon n'était pas encore aménagé. Il n'y avait que le tapis, aucun meuble ni décoration sur les murs. C'est dans cette pièce que j'avais établi mon lieu de prière et de rencontre avec le Seigneur. J'y avais mis le magnétophone avec des rubans de Jean Laplace, et sur des coussins, par terre, le livre de la Parole de Dieu.

«Je passais mes journées presque entières dans cette pièce, à écouter des extraits de conférences, à prier, à me nourrir de la Parole de Dieu. Je pouvais passer près d'une heure en silence, à être simplement là, devant le Seigneur, en sa présence. Et c'est ainsi que le matin du quatrième ou du cinquième jour, qui était une journée très chaude, je suis restée en petite tenue et je suis allée dans le salon. J'ai ouvert le livre de la Parole de Dieu, et je suis tombée sur le *Cantique des cantiques*. J'étais assise par terre, jambes croisées, le livre était devant moi, appuyé sur des coussins, et lentement et mentalement, je lisais.

«Tout à coup — je ne sais comment dire mais je peux le raconter comme après coup —, je suis revenue à moi-même, comme si j'entrais à nouveau dans mon corps. La première chose que j'ai réalisée, c'est que j'avais les joues mouillées et très chaudes. Les larmes coulaient tout simplement, sans sanglots. J'avais beaucoup pleuré. J'ai regardé l'heure, et cela faisait trois heures que j'étais assise par terre et que j'avais commencé à lire le *Cantique des cantiques*.

«Et je me suis sentie envahie, comme si j'arrivais d'ailleurs. Je revenais de quelque part. Après avoir constaté que je pleurais et qu'il y avait beaucoup de temps de passé, j'ai senti que j'étais libérée d'une aigreur profonde de la souffrance.

«Depuis près de trente ans, je souffrais de rhumatisme articulaire. La souffrance physique était atroce, mais ma non-acceptation de cette souffrance était plus atroce encore. J'étais jalouse de ceux qui étaient en santé et qui ne souffraient pas, et je demandais souvent au Seigneur d'être libérée de cette forme d'aigreur. J'ai réalisé que ce sentiment si rongeur en moi n'existait plus. Au moment de la prise de conscience de cette libération, un sentiment de joie intense, d'exaltation, m'a envahie. J'éclatais de joie d'une façon incroyable.

«J'ai senti monter en moi un poème qui était presque dicté par quelqu'un d'autre, qui sortait tout seul. J'ai attrapé une enveloppe brune qui était à portée de main, et à plat ventre par terre, je me suis mise à écrire ce poème qui sortait tellement vite que je n'avais pas le temps de finir mes phrases. Ce poème, je l'ai intitulé après coup *Extase*. Le voici.

Oh! dis-moi qui tu es!
Tu me hantes, me réduis à l'impuissance.
Toute matière disparaît,
Mon être n'est que fébrile jouissance!

Tout devient rythme, pulsation, exaltation.
Qui es-tu, toi qui me conduis
Dans un monde hors temps et hors obligation,
Là où se saisit en plénitude la vie?

Que cette expérience m'est atrocement cruelle!
Voulant la vivre sans limite toujours,
Le temps, la souffrance me rappellent
Que je suis du cosmos, chaque jour.

Toi, puissance, Vie, Dieu,
Dans un temps où s'ignorent le commencer et le finir,
Tu me fais passer dans un monde mystérieux,
Par la mort de ce qui est la résurrection du devenir.

Dans ce monde sans poids, sans limite,
Je deviens brise, nuage, rayon d'étoile.
Je ne suis que mouvement, ondulation, rythme,
Mon être découvre la Vie sans voile.

À la dilatation de mon être
Je veux demeurer fidèle, toujours.
Apprends-moi à reconnaître
Ton Esprit, révélation de l'Amour!

«Après avoir écrit, je me suis assise et j'ai réalisé que j'observais mon corps. Je regardais mes mains, mes bras, mon corps. Et je suis devenue tellement émerveillée de la beauté du corps humain, de la beauté de mon corps, que je suis restée un certain temps ainsi, à me regarder, à me toucher, à toucher ma peau, à sentir toute ma vie biologique. Après ce temps d'émerveillement et de contemplation de mon corps, le mouvement d'écrire est de nouveau monté en moi. Un autre poème prenait forme. Immédiatement, je me suis mise à écrire. Cet autre poème s'intitule *Merveille que mon corps*.

«Après avoir écrit ce poème, j'étais envahie par cette vie que je sentais en moi, cet émerveillement de mon corps, et cette vie de Dieu en moi. Sans réfléchir, en me laissant simplement aller, j'ai retiré mes vêtements et nue, dans l'émerveillement de ce corps vivant, je me suis mise à danser, à danser devant le livre de la Parole de Dieu. Je faisais des mouvements pour sentir la contraction et le mouvement de mes muscles partout. J'ai dansé avec tellement d'ardeur, de coeur... c'était encore toute cette joie qui sortait de moi après cette expérience.

«Depuis le moment où j'avais commencé à lire le *Cantique des cantiques,* il s'était écoulé quatre heures et demie. Le reste de la journée, je me vivais dans une paix indescriptible, je sentais en moi cette libération profonde de l'aigreur. Je pouvais maintenant respirer en profondeur, il y avait un poids, un étouffement qui étaient complètement disparus. Je suis restée dans le silence toute la journée, comme nourrie par mon intérieur. Je ne faisais que me savourer, être au ralenti, dans une paix profonde.

«Je me suis longtemps demandé ce qui m'était arrivé. Je n'osais pas en parler. Maintenant, onze ans plus tard, je vois cette expérience comme un privilège.»

## L'HYPOTHÈSE DE LA SORTIE DU CORPS

La littérature mystique utilise fréquemment le terme d'*extase* pour désigner le genre d'expérience en cause ici. Ce terme, qui signifie *sortie,* est toutefois habituellement compris au sens figuré d'un grand ravissement. Les expériences «hors corps», qui sont maintenant de plus en plus étudiées en parapsychologie, de même que les nombreux récits de vie après la mort, nous amèneraient peut-être à soulever l'hypothèse d'une expérience analogue ici.

Ce n'est pas en effet une évocation poétique mais une description précise que la personne tente de faire lorsqu'elle utilise des expressions comme: «Je suis revenue à moi-même comme si j'entrais à nouveau dans mon corps, (...) comme si j'arrivais d'ailleurs. Je revenais de quelque part.»

Ces passages renvoient à un autre récit d'expérience extatique, plus célèbre celui-là, où l'apôtre Paul soulève lui-même l'hypothèse du phénomène hors-corps en relation avec sa propre expérience. «Je connais un homme dans le Christ qui, voici quatorze ans — était-ce en son corps? je ne sais; était-ce hors de son corps? je ne sais; Dieu le sait — ... cet homme-là fut ravi jusqu'au troisième ciel... et il entendit des paroles ineffables...» (*2 Co 12, 2-4*)

Le poème inséré dans le récit nous livre d'ailleurs un détail intéressant à ce sujet. Plusieurs récits d'épisodes-frontières de hors-corps vécus au moment d'une mort clinique font état d'une hésitation plus ou moins forte de la part du sujet au moment où celui-ci doit réintégrer son corps. Or, on retrouve ici une trace de ce déchirement lorsque, parlant de ce «monde hors temps et obligation, là où se saisit en plénitude la vie», le sujet s'exclame: «Que cette expérience m'est atrocement cruelle! Voulant la vivre sans limite toujours, le temps, la souffrance me rappellent que je suis du cosmos, chaque jour.»

Ce simple récit ne suffit évidemment pas à démontrer la réalité du phénomène hors-corps, mais il représente une pièce de plus au dossier de ces récits mystérieux, et il invite à faire un rapprochement de plus entre les expériences intérieures intenses et les épisodes-frontières, que nous avons appelés des expériences «extérieures» intenses dans le chapitre précédent.

Notons en passant que la personne ne semble pas faire intervenir le concept de Dieu pour se sécuriser en se donnant une explication de son expérience. Elle affirme que c'est Dieu qui l'a guidée dans cette aventure, qui l'«a conduite dans un monde hors temps», qui l'a «faite passer dans un monde mystérieux». Mais ceci dit, le mystère reste entier: «Dis-moi qui tu es. Tu me hantes...» Tout se passe comme si les croyances religieuses conventionnelles ne pouvaient pas apporter de lumière spéciale sur cette expérience, laissant le sujet seul au seuil du mystère.

Enfin, à l'exemple de beaucoup d'autres récits d'expériences intérieures intenses et d'épisodes-frontières, on retrouve ici aussi l'idée de mission. La personne ne comprend pas le *comment* de son expérience: «Je me suis longtemps demandé ce qui m'était arrivé.» Mais elle en intuitionne le *pourquoi*: cette aventure lui est donnée pour sa fécondité, comme si cette expérience l'engageait à être plus: «À la dilatation de mon être, je veux demeurer fidèle, toujours. Apprends-moi à reconnaître ton Esprit...»

## L'HYPOTHÈSE DE L'AUTOSUGGESTION

Selon le témoignage de l'intéressée, la libération de son aigreur a été totale et permanente, et qui plus est, elle a connu quelques années plus tard une guérison physique totale et permanente elle aussi, lors d'une séance unique de radiesthésie, à laquelle elle avouait ne pas trop croire, et elle mène depuis ce temps une vie professionnelle très appréciée et très gratifiante.

On peut tenter d'interpréter ces deux changements spectaculaires de la guérison intérieure et de la guérison physique comme «de simples cas d'autosuggestion». Mais ce faisant, tout est encore à expliquer, car il faut encore répondre aux questions suivantes: Comment faire pour que l'autosuggestion soit si convaincante et si efficace? On a vu plus haut que cette femme «se suggérait» souvent en souhaitant ardemment que son aigreur disparaisse. Comment se fait-il alors que l'autosuggestion n'ait pas fonctionné pendant près de trente ans, et qu'elle ait fonctionné tout à coup et pour toujours ce matin-là pour la guérison intérieure, et ce jour-là pour la guérison physique? Pourquoi cette femme a-t-elle dû attendre si longtemps pour exercer le pouvoir de sa pensée sur ses sentiments et peut-être sur son corps (dans l'hypothèse où la radiesthésie se ramènerait à un phénomène d'autosuggestion)?

Ces questions nous renvoient une fois de plus au concept d'apprentissage, l'expérience intérieure intense apparaissant à la fois comme un événement qui survient de sa propre dynamique, et un apprentissage que l'on fait patiemment et à tâtons, faute de modèles clairs.

La personne avait appris à se disposer à l'expérience intérieure intense par la solitude, le silence, le dépouillement de son environnement, la méditation. En un sens, elle s'auto-disposait, s'auto-orientait vers cette expérience, ce qui nous place carrément sur le terrain de l'autosuggestion. Tout conduisait à son expérience intérieure intense. Mais en même temps, la personne exprime le sentiment d'y avoir été conduite par une force mystérieuse et bienveillante qu'elle identifie comme distincte d'elle.

L'expérience intérieure intense, une affaire d'autosuggestion? Oui, mais qui n'aboutit que lorsque cette démarche réussit à activer des centres mystérieux que le non-croyant nomme «puissance» ou «vie», et que le croyant nomme «puissance, Vie et Dieu».

---

1. Voir par exemple LECRON, L.M., *L'auto-hypnose, Sa technique et son utilisation dans la vie quotidienne,* Montréal, Éditions du Jour, 1973 (c. 1964).

# CHAPITRE 15

# Expérience intérieure et implication sociale

La position traditionnelle des auteurs chrétiens était de considérer l'accession à la conscience mystique comme le but ultime de la croissance du croyant. Théoriquement, la position la plus autorisée sur la question était celle de Thomas d'Aquin, selon lequel la perfection consiste «principalement dans l'amour de Dieu, et ensuite dans l'amour du prochain[1]».

En pratique, cependant, le lien entre ces deux objectifs pouvait être assez fragile, au point que l'amour du prochain perdait son statut d'*objectif* pour n'être plus considéré que comme un *moyen* au service du seul véritable objectif, qui était l'amour de Dieu. À témoin, le raisonnement suivant chez un auteur qui a exercé une influence considérable sur des générations d'intervenants pastoraux:

«Dieu, nous dit saint Jean, est charité; c'est là, pour ainsi dire, sa note caractéristique. Si donc nous voulons lui ressembler, être parfaits comme notre Père céleste, il faut l'aimer comme il nous a aimés; et, comme nous ne pouvons l'aimer sans aimer le prochain, nous devons aimer ce cher prochain jusqu'à nous sacrifier pour lui[2].»

Ainsi dégradé en moyen, l'amour du prochain pouvait être abandonné en cours de route, un peu comme certaines fusées se délestent de leurs moteurs auxiliaires lorsqu'elles ont pris leur envol. C'est ainsi qu'il n'est plus question de l'amour du prochain dans la description que fait notre auteur du dernier stade de la perfection chrétienne: «Au troisième stade, les parfaits n'ont plus qu'un souci, adhérer à Dieu et prendre en lui leurs délices».

Dès lors, il ne s'agit plus d'aimer suffisamment autrui pour contribuer à améliorer son sort, mais les parfaits sont censés ne plus se sentir à l'aise sur terre, et n'aspirer qu'à la quitter pour augmenter leur bonheur: «Aussi la terre leur paraît un exil, et, comme saint Paul, ils désirent mourir pour rejoindre le Christ[3]».

Un théologien plus moderne reprend cette position traditionnelle lorsqu'il écrit dans un ouvrage collectif sur le mysticisme: «La fin de l'aventure humaine telle que vue par le Christ consiste dans l'union avec lui, qu'il compare lui-même à l'union de sa propre âme humaine avec le Père, ce qui consiste en d'autres mots en l'obtention de la divine perfection, dans les limites de la créature[4]».

## LE RETOUR DE L'ACTION

Ces positions traditionnelles faisant de «l'union de l'âme à Dieu» l'objectif ultime du cheminement humain sont de nos jours soumises à de sérieuses critiques, notamment de la part des théologiens de la libération. Pour ces derniers, en effet, la personne humaine n'est pas uniquement un être qui contemple, mais aussi fondamentalement un être qui agit. Dès lors, avancer dans la perfection, ce n'est pas ne plus agir, mais c'est agir de plus en plus efficacement!

Les théologiens de ce courant conservent les concepts de contemplation et d'union, mais pour eux, la meilleure preuve qu'on est uni au modèle, ce n'est pas lorsqu'on le regarde, mais lorsqu'on agit comme lui. Il faut dire que dans leurs perspectives, le Dieu de la tradition judéo-chrétienne n'est pas un être intemporel qui regarde l'histoire humaine, mais un agent qui intervient et fait intervenir dans celle-ci.

Ainsi, pour le théologien chilien Segundo Galilea, le croyant «devient un contemplatif dans la mesure où il découvre ce que Dieu veut pour l'autre et fait de cela la raison décisive de son engagement». Sans évacuer «la dimension d'adoration gratuite et la valeur d'aimer et de contempler Dieu pour lui-même», ce théologien ne fait que redonner à l'amour du prochain son statut de deuxième objectif ultime de la croissance, statut que beaucoup de commentateurs spirituels lui avaient fait perdre au cours des âges.

«La rencontre avec le frère souffrant et nécessiteux (le 'petit'), et le service qui en découle, est une expérience du Christ aussi contemplative, en se sens, que la rencontre personnelle avec le Seigneur. (...) La première rencontre rappelle le premier commandement de l'amour de Dieu par-dessus toute chose (...). La seconde rappelle le commandement semblable au premier, c'est-à-dire aimer le prochain comme soi-même, et la présence du Christ en cet amour[5].»

## LA CROISSANCE PAR LE DÉSERT

On a vu au chapitre 11 le rôle central que jouaient dans l'apprentissage de la conscience mystique la solitude, le recueillement et le détachement de l'esprit par rapport à l'action, aux images et aux idées. Dans la tradition biblique, ce rôle central est assumé par l'expérience du désert. C'est l'expérience du désert qui contribue à faire déboucher sur la conscience de la réalité divine des hommes comme Moïse, Élie, Jean Baptiste et Jésus.

Mais en même temps — et ce fait est significatif pour les théologiens de la libération —, l'expérience du désert fait de ces hommes non seulement des mystiques mais aussi des prophètes, c'est-à-dire des dénonciateurs courageux et lucides de l'oppression et de l'injustice érigées en système.

Les mêmes causes produisant les mêmes effets, on peut penser que l'expérience de dépouillement et de purification vécue par les contemplatifs devrait produire des personnes qui soient à la fois des mystiques et des prophètes. Et ceci, parce que ce processus de distanciation sociale ne peut faire autrement que de permettre au sujet de remettre en question ses propres complicités par rapport aux injustices à l'oeuvre dans son milieu, et donc de le rendre plus autonome et plus critique par rapport à ce milieu. Comme l'affirme Galilea, «l'attitude de 'sortir de soi', de se confronter à l'absolu et à la réalité vraie des choses, propre au 'désert', permet au chrétien de 'sortir du système' en tant que société injuste et trompeuse, pour la dénoncer et être plus libre face à elle[6]».

Réfléchissant sur la nature de l'expérience mystique, un psychologue américain affirme que la société entre en compétition avec l'idée de la transcendance de Dieu, dans son désir d'être la seule à assujettir l'individu. C'est pourquoi la distanciation critique par rapport à la société (l'expérience du détachement ou du désert) lui semble constitutive de l'entreprise mystique: «la société cherche à posséder ses membres, alors que le mystique veut être possédé par quelque chose d'autre que l'ordre social[7]».

## LA SUBVERSION DE L'AUTONOMIE

Il y a donc quelque chose d'essentiellement subversif, et donc de politique, dans cette capacité du mystique de dire *non* aux pressions de la société pour qu'il se conforme et qu'il hurle avec les loups. Le mystique est politiquement un non-conformiste parce que son expérience du désert lui permet de prendre la juste mesure de la société et de ses injustices, alors qu'à l'inverse, le «non peaker» est dominé inconsciemment par les pressions multiformes de son environnement social.

Le contemplatif Eckhart était bien conscient de cette dimension subversive ou politique du non-conformisme, lui qui conseillait: «Fuis toute singularité dans tes vêtements, ta nourriture, tes paroles, comme d'employer de grands mots, ou de faire des gestes singuliers, ce qui ne sert à rien. Cependant, sache aussi que toute singularité ne t'est pas interdite. Il est des singularités qui doivent être appliquées en bien des moments auprès de beaucoup de gens. Car celui qui est une personne à part doit faire aussi bien des choses particulières en bien des moments et de bien des manières[8]».

Nous avons dans ce passage une clé pour saisir la dynamique de fond de l'itinéraire mystique. Dans un premier temps, Eckhart affirme qu'il ne s'agit pas de *faire* mais d'*être*: «Les gens ne devraient pas tant penser à ce qu'ils font, ils devraient penser à ce qu'ils sont. (...) Ne pensez pas que la sainteté se fonde sur les actes, on doit fonder la sainteté sur l'être, car ce ne sont pas les oeuvres qui sanctifient, c'est nous qui devons sanctifier les oeuvres[9]».

Mais dans un deuxième temps, ayant vraiment accédé au niveau de l'être, étant devenu «une personne à part», distanciée, et donc autonome et critique, il s'agit alors de passer à l'action, de «faire aussi bien des choses particulières», pour reprendre le langage d'Eckhart.

Or, le premier effet de la distanciation critique par rapport à notre environnement social est de nous faire sortir de la myopie qui ne nous permettait pas de voir les étroitesses, les préjugés, les inconsciences et les injustices dont nous étions à la fois victimes et complices. Nous sommes alors prêts à passer à l'action, mais dans une approche égalitaire et non plus en prenant pour acquis que tout nous est dû.

Ceci rejoint la position d'un autre théologien de la libération face à la prière contemplative: «Le fait de trouver accès à ce Dieu gratuit me dépouille, me laisse nu, rend universel et gratuit mon amour des autres[10].»

## LA STRUCTURE PASCALE

Ces considérations nous amènent donc à réaménager le schéma traditionnel de la perfection chrétienne pour le rendre plus conforme:

- aux données de la tradition biblique sur l'impact de l'expérience du désert sur les mystiques-prophètes;
- à la pensée de certains grands contemplatifs comme Maître Eckhart;
- à l'approche des principaux représentants actuels de la théologie de la libération;

— et enfin, à ce qu'on pourrait appeler la structure pascale de l'expérience humaine, qu'on peut se représenter de la façon suivante.

Il s'agit d'une structure ou plutôt d'un processus en trois temps qui s'amorce par une rupture, se poursuit en désorganisation et débouche sur une reprise plus féconde. Voici quelques illustrations:

**Tableau 8:** *La structure pascale de l'aventure humaine*

|  | RUPTURE | DÉSORGANISATION | REPRISE |
|---|---|---|---|
| Exode | Départ précipité d'Égypte | Errance dans le désert | Entrée dans la terre promise |
| Pâque de Jésus | Arrachement de l'agonie | Mort | Accès à une vie nouvelle |
| Grain de blé (*Jn 12, 24*) | Le grain tombe en terre | Il meurt | Il porte beaucoup de fruit |
| Itinéraire mystique | Distanciation | Purification et transformation | Fécondité sociale |

Aimer autrui, c'est vouloir son bien. Or, l'environnement exerce une influence constante et déterminante sur le bien-être ou le mal-être des gens. Aimer autrui implique donc que l'on s'emploie à modifier cet environnement de manière à en diminuer les forces d'oppression et à en augmenter les forces de promotion.

C'est dans ce sens que Paoli, un autre auteur latino-américain, écrit qu'«il n'y a pas d'amour sérieux, un amour qui soit vraiment libérateur d'autrui, qui ne soit pas politique[11]», le terme *politique* étant entendu bien sûr non pas dans son sens partisan, mais au sens d'une action sur les organisations sociales.

## QUELQUES STATISTIQUES

En 1973, un sociologue américain du nom de Wuthnow a choisi au hasard mille sujets dans la région de San Francisco, et les a fait interviewer pendant environ une heure chacun par une quarantaine de spécialistes, obtenant un taux de réponse de 78% pour l'ensemble des sujets approchés.

Les entrevues portaient d'une part sur la fréquence des expériences intérieures intenses, et d'autre part sur les attitudes des sujets par rapport à l'existence, aux biens matériels, et à leur implication sociale.

Les résultats de cette recherche correspondent au processus décrit ci-haut, à savoir que les sujets les plus avancés dans la conscience mystique (identifiés dans la recherche comme des «high peakers»), sont à la fois différents par rapport aux façons dominantes de penser (dans notre tableau: «distanciation» et «purification et transformation») et socialement plus sensibilisés (dans notre tableau, «fécondité sociale»). Voici quelques chiffres.

**Tableau 9** *Différences d'attitudes entre «peakers» et «non peakers»*

| ITEM DU QUESTIONNAIRE | «HIGH PEAKERS» | «NON PEAKERS» |
|---|---|---|
| Je trouve que la vie est pleine de sens. | 65% | 35% |
| Je réfléchis sur le sens de la vie. | 59% | 19% |
| Mes valeurs les plus importantes sont les biens matériels et un emploi sûr et payant. | 11% | 49% |
| Mes valeurs les plus importantes sont de travailler à améliorer la société et d'aider les gens dans le besoin. | 79% | 52% |

Le responsable de la recherche déduit de ces résultats que la fréquence des expériences intérieures intenses est «reliée à la façon dont les gens s'orientent dans la culture et la société dans laquelle ils vivent». Il est très difficile de déterminer scientifiquement si ces changements de mentalité sont directement provoqués par les expériences intérieures intenses (ce que les sujets affirment fréquemment), ou si à l'inverse, ce ne serait pas l'évolution personnelle du sujet qui entraînerait la venue de ces expériences.

Tout au long du présent essai, nous avons exprimé l'avis que ces deux phénomènes jouaient en même temps, et c'est là également l'opinion de notre auteur, qui estime que «les expériences intérieures intenses semblent nourrir ces autres valeurs tout en étant nourries par elles[12]».

Dans le langage traditionnel, les mystiques ont «renoncé au monde» et ils «trouvent leur bonheur en Dieu». Dans le langage de l'enquête évoquée ci-haut, les «peakers» ont dépassé l'attraction des biens matériels et de la sécurité matérielle, ils consacrent du temps à méditer sur le sens ultime du réel et de la vie, et ils éprouvent de la satisfaction dans cette expérience (découvrant que la vie est chargée de sens).

## LE MYSTIQUE DEVENANT PROPHÈTE

La différence avec la représentation traditionnelle est que les «peakers» débouchent, comme les mystiques-prophètes de la Bible, sur la troisième étape, qui est l'implication sociale. Nous allons retourner aux écrits du contemplatif Eckhart pour comprendre pourquoi le mystique qui ne s'arrête pas en chemin devient nécessairement prophète.

Eckhart distingue entre le fonctionnement de ceux qui pensent «avec des idées clairement distinctes» (les «non peakers»), et le fonctionnement de ceux qui appréhendent le réel comme étant unifié, comme formant un tout interdépendant.

Un des grands mérites du mystique allemand est d'avoir saisi les implications éthiques de ce fonctionnement cognitif. Lorsqu'on fonctionne avec des idées claires qui découpent le réel, en effet, on se retrouve avec une éthique individualiste et commerciale qui nie l'interdépendance des êtres: «S'ils sont pauvres, c'est leur faute», «La politique, c'est trop compliqué pour moi», «La religion et la politique, ce sont deux choses séparées», «Je fais ma petite affaire et je ne fais pas de tort au prochain», «Changer le monde, je laisse ça à Dieu», «Le tiers-monde, je n'ai pas de prise là-dessus...».

Les «idées claires» sont négatrices de la responsabilité personnelle et donc de l'implication sociale, alors que la pensée englobante rend sensible et solidaire de tout. À la limite, pour Eckhart, le vrai mystique ne peut faire autrement que de déboucher sur son implication dans la solidarité internationale.

«Tant que tu souhaites de meilleures choses à la personne près de toi qu'à la personne que tu n'as jamais vue, tu n'es pas correct et tu n'as pas accédé ne fût-ce qu'un moment au fondement unique de la nature de Dieu.» Au contraire, les personnes qui ont vécu cette prise de conscience «peuvent vouloir du bien à quelqu'un de l'autre côté de l'océan qu'ils n'ont jamais vu de leurs yeux, tout autant qu'à la personne qui se trouve près d'eux et qui est une bonne amie[13]».

Les expériences intérieures intenses amènent les sujets à dépasser momentanément le fonctionnement «par idées claires» et à pressentir la solidarité fondamentale de tous les êtres. Cette expérience permet d'accéder à la compassion, qui est, selon le contemplatif Thomas Merton, «fondée sur une vive conscience de l'interdépendance de tous les êtres vivants[14]».

Ceci permet de comprendre comment seul un fonctionnement cognitif de «non peaker» permet de séparer le double commandement de l'amour de Dieu et de l'amour du prochain, et de dégrader l'amour du prochain en moyen pour acquérir l'amour de Dieu. À l'inverse, le fonctionnement cognitif du «peaker» lui permet de sentir que Dieu et les êtres vivants sont un, de sorte que Dieu souffre lorsque l'une de ses créatures souffre. Ce qui fait dire à Matthew Fox: «Savoir que Dieu *et* l'univers *et* les gens souffrent ensemble, c'est savoir comment le mysticisme peut devenir politique et non-privatisé[15]».

C'est pourquoi Eckhart lie la compassion et la justice (qu'il définit à la suite de Thomas d'Aquin comme le fait de rendre à chacun son dû), par exemple lorsqu'il cite les versets suivants du *Livre des Proverbes:*

> «Agir vertueusement et avec justice plaît davantage à Dieu que le sacrifice... C'est une joie pour le juste d'exécuter la justice mais c'est la confusion pour ceux qui font le mal... Celui qui poursuit la justice et la compassion trouvera la vie...» (*Pr 21, 3.15.21*)[16].

Notons en passant que cette jonction biblique qu'Eckhart reprend entre la justice et la compassion représente un mélange très actif. La justice sans compassion, en effet, est une justice froide qui se contente de donner ou de remettre à autrui ce qui lui appartient *légalement*, alors que la présence de la compassion vient donner une justice élargie à ce à quoi la personne a droit: éducation, travail, soins médicaux, etc.

## LE POINT DE VUE DE FROMM

Le psychanalyste Erich Fromm aboutit lui aussi à des conclusions semblables, à la suite de son analyse de l'expérience religieuse d'une part, et de son observation de la société américaine des années cinquante de l'autre. Pour lui, toute religion est foncièrement ambiguë, car elle peut produire deux effets opposés. Le schéma suivant retrace le déroulement de sa pensée sur la question.

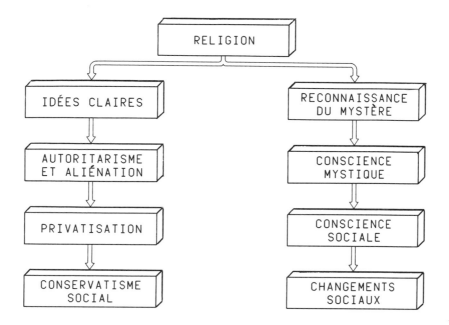

**Figure 7:** *Les deux trajectoires de la religion*

Dans la colonne de gauche, les adeptes religieux fonctionnent par idées claires plutôt que de reconnaître le mystère humain. Ce fonctionnement permet de hiérarchiser la réalité (Dieu en haut, les humains en bas), de se fixer des objectifs clairs dans l'existence (argent, prestige, etc.), et d'évacuer l'objectif trop flou de la croissance humaine totale.

Ce fonctionnement débouche sur une conception autoritariste de la religion dans laquelle le sujet se soumet à un Dieu perçu comme tout-puissant. Cette démarche s'avère payante en un sens, puisqu'elle «permet à l'homme d'échapper à son sentiment de solitude et de faiblesse» et d'éprouver «le sentiment d'être protégé» par un Dieu omnipotent.

Mais cette démarche est en même temps aliénante, puisqu'en achetant ce confort psychologique, le sujet «perd son indépendance et son intégrité en tant qu'individu». Pour que Dieu soit suprême et tout-puissant, en effet, il faut nécessairement que «l'homme, à côté, soit totalement impuissant[17]».

Fromm n'explicite pas ce point, mais il est fort probable que ce sentiment d'aliénation ait pour effet de rendre le sujet profondément ambivalent face à ce Dieu qui le dépouille de lui-même en réclamant tout. C'est ainsi que Fromm remarque ailleurs que la personne aliénée évacue en pratique Dieu de sa vie, tout en le reconnaissant en principe comme l'Être suprême. Dieu devient ainsi «le lointain directeur-général de l'univers» qui dirige un spectacle «qui pourrait se dérouler sans lui».

Ainsi aliénée du fond et du meilleur d'elle-même et centrée sur ses intérêts immédiats, la personne devient privatisée, c'est-à-dire coupée de la dimension sociale de son existence, ce qui la fait déboucher sur le conservatisme politique. «L'ensemble des Églises appartient aux forces conservatrices qui (...) se servent de la religion pour maintenir l'homme actif et satisfait à l'intérieur d'un système profondément irréligieux.[18]»

La religion peut par ailleurs engager dans une trajectoire inverse, dans la mesure où ses adeptes renoncent à la tentation des idées claires, qui est la tentation de l'inertie, pour s'ouvrir au mystère humain. Pour ces sujets, Dieu ne peut être saisi ni défini, et la personne humaine étant à son image, elle demeure indéfinissable elle aussi. Elle ne peut donc s'enfermer dans des objectifs matériels et des horizons psychologiques à court terme[19], et dans sa quête du réel, elle se voit amenée à «développer ses capacités d'amour pour les autres aussi bien que pour elle-même, et à faire l'expérience de la solidarité de tous les êtres vivants».

S'il en va ainsi, précise Fromm, c'est que l'expérience religieuse, dans une religion de cette sorte, est celle de l'unité avec le tout, fondée sur la relation de l'individu au monde, telle qu'elle est saisie par la pensée et par l'amour»[20]. Fromm estime que ce type de sensibilité religieuse et sociale se retrouve notamment dans les enseignements du prophète Isaïe et de Jésus, de même que dans le courant mystique de la religion juive et de la religion chrétienne.

D'un côté, le psychanalyste américain présente ainsi des sujets religieusement aliénés, personnellement privatisés et politiquement conservateurs, et de l'autre, des sujets qui, pour avoir accepté de s'engager religieusement dans le mystère humain, débouchent sur la conscience mystique de l'interdépendance, ce qui les rend facilement mobilisables pour les changements sociaux. Ici encore, mysticisme et politique se trouvent associés: «L'élément humanitaire, démocratique, n'a jamais été étouffé dans l'histoire chrétienne ou juive, et dans ces deux religions, c'est dans la pensée mystique que cet élément a trouvé l'une de ses expressions les plus fortes[21]».

## PAUL ET JÉSUS

Concluons cette réflexion par quelques coups d'oeil sur la pensée de Paul et celle de Jésus sur la question. L'apôtre Paul avait perçu lui aussi cette interdépendance des êtres, et il tentait de sensibiliser ses lecteurs à ce phénomène, lorsqu'il écrivait: «Un membre souffre-t-il, tous souffrent avec lui. Un membre est-il à l'honneur, tous sont à l'honneur avec lui» (*I Corinthiens 12, 26*; voir aussi *Romains 12, 5*).

Quant à Jésus, il fait allusion à la dimension plus spécifiquement socio-politique de cette interdépendance lorsque, parlant des causes de la répression sanglante d'une part et des nombreuses morts sur les chantiers de construction d'autre part, il déclare à peu près ceci à ses auditeurs: ces phénomènes sont votre problème à tous, et si vous ne vous remettez pas sérieusement en question à ce sujet, vous en serez vous-mêmes victimes un jour (*Lc 13, 1-5*).

Un autre passage de l'Évangile va dans le même sens. Lorsque Jésus est conduit à son lieu d'exécution, victime de la double répression religieuse et politique, certaines personnes s'apitoient sur son sort. La réponse de Jésus est étonnante à prime abord: «Ne pleurez pas sur moi, mais pleurez sur vous-mêmes et sur vos enfants.» (*Lc 23, 28*)

La suite du texte semble laisser entrevoir des menaces apocalyptiques, mais on peut aussi comprendre cette parole dans son sens immédiat: Ne vous en faites pas pour moi. J'ai vécu en fonction de mes convictions et je n'ai rien à regretter. Mais profitez de l'événement pour vous remettre en question: autant de répression et de violence ne seraient pas possibles sans la complicité de votre silence et de votre indifférence. Vous êtes responsables de vous accommoder d'une société qui torture et qui assassine...

Les personnes qui sont mises en scène ici sympathisaient avec Jésus et atteignaient donc un premier niveau d'interdépendance avec lui. La réaction de Jésus a toutefois pour effet de déplacer cette interdépendance d'une forme spontanée et fugitive à une forme beaucoup plus réelle et profonde.

En fin de compte, l'effet ultime de l'accession à la conscience mystique, c'est le sentiment de compassion universelle qui amène à intervenir concrètement dans les situations d'injustice. C'est à ce moment que s'effectue la jonction entre mysticisme et prophétisme qui est au coeur de la tradition biblique. À cet égard, un mystique qui ne serait pas en même temps prophète, serait un mystique qui ne serait pas encore parvenu à sa maturité.

1. THOMAS D'AQUIN, Somme théologique, II$^a$ II$^{ae}$, q. 184a.3; cité par TANQUEREY, A., *Précis de théologie ascétique et mystique,* Tournai, Desclée, dixième édition (c. 1923), p. 209.
2. TANQUEREY, *Précis...,* p. 212.
3. TANQUEREY, *Précis...,* p. 229.
4. KNOWLES, D., What is mysticism?, dans WOODS, R. (ed.), *Understanding Mysticism,* New York, Doubleday and Company, 1980, p. 525.
5. GALILEA, S., La libération en tant que rencontre de la politique et de la contemplation, *Concilium,* 96 (juin 1974), pp. 22-24.
6. GALILEA, *La libération...,* p. 27.
7. SCHNEIDERMAN, L., Psychological Notes on the Nature of Mystical Experience, *Journal for the Scientific Study of Religion,* 6 (1), 1967, p. 95.
8. MAITRE ECKHART, *Les traités,* Traduction et introduction de Jeanne Ancelet-Hustache, Paris, Seuil, 1971, p. 70.
9. MAITRE ECKHART, *Les traités...,* p. 45.
10. GUTTIEREZ, G., *A theology of liberation,* New York, Orbis Books, 1973, p. 206.
11. PAOLI, A., *Freedom to be free,* New York, Orbis, 1973, p. 104.
12. WUTHNOW, R., Peak Experiences: Some Empirical Tests, *Journal of Humanistic Psychology,* 18 (3), 1978, pp. 59-75.
13. FOX, M., Breakthrough: *Meister Eckhart's Creation spirituality in New Translation,* New York, Doubleday and Company, 1980, p. 200.
14. MERTON, T., Marxism and Monastic Perspectives, dans MOFFIT, J. (ed.) *A New Character for Monasticism,* Notre Dame, 1970, p. 80, cité par FOX, M., Meister Eckhart and Karl Marx: The Mystic as Political Theologian, dans WOODS, R, (ed), *Understanding Mysticism,* New York, Doubleday and Company, 1980, p. 553.
15. FOX, *Meister Eckhart...,* p. 553.
16. FOX, *Breakthrough...,* p. 434.
17. FROMM, E., *Psychanalyse et religion,* Paris, Éditions de l'Épi, 1968 (c. 1950), pp. 59-60.
18. FROMM, E., *Société aliénée et société saine,* Paris, Le Courrier du Livre, c. 1956, p. 172.
19. FROMM, *Société...,* p. 171.
20. FROMM, *Psychanalyse...,* p. 61.
21. FROMM, *Psychanalyse...,* p. 73; sur le développement de la conscience de l'interdépendance, voir également, du même auteur, *The Heart of Man, Its Genius for Good and Evil,* New York, Harper and Row, 1964, pp. 87-94.

# CHAPITRE 16

# Ceux qui n'ont pas d'expériences intérieures

La lecture du présent volume a pu s'avérer difficile pour l'estime de soi des lecteurs qui ne se souviendraient pas d'avoir vécu des expériences intérieures intenses. Ils pourraient en effet en déduire qu'ils ne sont pas des «peakers»; or, nous avons dit tant de bien des «peakers» et tant de mal des «non peakers»...

Mais cette déduction serait téméraire. La seule conclusion que l'on peut tirer avec prudence du fait qu'on ne se souvienne pas d'avoir vécu des expériences intérieures intenses, c'est qu'on est normal, au sens où la majorité des gens affirment ne pas en avoir vécu eux non plus!

Dans toutes les analyses psychologiques auxquelles nous nous sommes livrés plus haut, en effet, nous avons «oublié» la majorité des sujets situés au milieu des échelles de mesure, — c'est-à-dire la majorité du monde! — pour ne considérer que les minorités situées aux deux extrêmes: les sujets d'orientation religieuse *très* extrinsèque d'une part et ceux d'orientation *très* intrinsèque de l'autre, les sujets *très* enclins aux préjugés d'un côté, les sujets *très* tolérants de l'autre, les grands «peakers» d'un côté, les «non peakers» absolus de l'autre...

Cette façon de procéder présente un avantage certain, car en faisant un gros plan sur un détail, elle permet de saisir des éléments qui seraient autrement passés inaperçus. Mais il reste que ce procédé d'amplification risque de donner une image trompeuse de la réalité, dans la mesure où il porte à croire que le monde se divise en deux, à savoir les bons et les méchants.

On a même dit à plusieurs reprises plus haut que le fait de penser par idées artificiellement claires, par blanc *ou* noir, vrai *ou* faux, bon *ou* méchant, que cette pensée bi-po-laire était inadéquate pour saisir l'ensemble du réel dans sa complexité et sa subtilité, et qu'elle était typique des «non peakers» extrêmes!

## L'ABSENCE D'EXPÉRIENCES INTÉRIEURES

L'auteur chrétien Marcel Légaut a une position intéres-sante sur l'absence d'expériences intérieures intenses dans le contexte de la foi chrétienne. Disons d'abord qu'il recon-naît le rôle important de ces «états de lumière et d'agileté spirituelle qui ne sont pas de même nature que ce que la personne vit ordinairement», et qui «montent de sa profon-deur sans qu'elle puisse en prendre l'initiative, ne sachant que favoriser leur venue, non la provoquer».

Comme on l'a fait plus haut, Légaut observe qu'une des fonctions de ces «états de lumière» est de sensibiliser le su-jet au mystère de la transcendance, en ce qu'ils sont «aveu involontaire, vérification implicite que ce qui vient en lui n'est pas le résultat de son projet, de son initiative et de son pro-jet intime». «L'homme est ainsi amené à affirmer que ces motions sont en lui les manifestations d'une action souterrai-ne et sans visage... (...) Cette action postule ainsi indirecte-ment et de façon obscure un absolu en elle et en l'homme qu'elle visite».

Cette transcendance, c'est presque sur la pointe des pieds que Légaut vient la rapprocher du concept de Dieu, parce que l'expérience intérieure intense n'a selon lui rien à voir avec les doctrines et les idéologies religieuses. Si le sujet se trouve ainsi «amené à utiliser la notion de Dieu avec le caractère absolu dont on l'a chargée de tout temps et en tout lieu», à «attribuer à Dieu l'origine de cette action en lui», il est en même temps, «conduit à affirmer que Dieu est au-delà de cette action, (...) et il ne peut expliciter da-vantage ce que cela signifie en clair (...). Si l'homme pose ces affirmations, ce n'est pas parce qu'elles sont claires, mais parce qu'il est fondamentalement obligé de les utiliser pour se dire de façon suffisamment adéquate ce qui le visite dans ses profondeurs et le soulève au-dessus de lui-même. C'est d'ailleurs pourquoi il se trouve alors dans des conditions tout à fait étrangères à celles qui président à l'élaboration d'une idéologie. Ce que l'homme doit se borner à dire de Dieu n'implique aùcune connaissance qu'il puisse appeler un savoir[1]».

Si leurs expériences intérieures ont pour effet de les orienter au coeur de toute tradition religieuse authentique, les «peakers» ne peuvent donc à aucun moment prétendre posséder un savoir sur Dieu dont seraient supposément exclus les «non peakers».

Il demeure vrai que, comme on l'a dit plus haut, les «non peakers» extrêmes ne peuvent saisir l'expérience des «peakers» extrêmes, et Légaut affirme l'équivalent[2]. Mais il refuse cependant de réserver l'expérience spirituelle aux «initiés» et d'enfermer ainsi dans un statut inférieur ceux qui n'auraient pas vécu d'expériences spirituelles intenses.

On trouverait d'ailleurs dans plusieurs récits des indices à l'effet que l'expérience intérieure intense tend non pas à créer des catégories différentes pour les humains, mais au contraire à abolir ces catégories et à sensibiliser les sujets au caractère unique de chaque humain. Voici quelques exemples.

1. «J'ai eu le sentiment de m'entendre dire que dans chacune des personnes détestables (à mon avis) tassées dans l'autobus, il y a quelque chose à aimer.»

2. «J'ai compris très très profondément que (...) je n'étais pas l'objet d'un amour particulier, préférentiel, mais que tous les hommes de la terre étaient aimés de Dieu d'un tel amour.»

3. «J'étais fermé aux autres; je me suis ouvert et j'ai posé sur eux un regard complètement différent, comme si je prenais conscience de leur existence de personnes humaines.»

## L'ATTENTE ET LA RECHERCHE

Légaut conçoit l'aventure spirituelle comme un cheminement où alternent l'attente sereine et la recherche active. Dans cette perspective, la question centrale n'est pas: est-ce que j'ai eu des expériences intérieures intenses? mais plutôt: est-ce que je suis en train de progresser dans l'actualisation de ma véritable humanité?

«Attente et recherche vont de pair dès le début de la vie spirituelle. (...) Elles manifestent ce qu'est l'homme, mieux que ce qu'il affirme ou fait. Nées de la foi, avant même que celle-ci se révèle et dise son nom, elles sont le chemin qui y conduit et non les conséquences de son absence[3]».

Les expériences intérieures intenses peuvent aider grandement quelqu'un à faire des prises de conscience sur la signification du réel et à s'insérer d'une façon plus féconde dans celui-ci. Mais ceci peut se trouver facilité par beaucoup d'autres expériences significatives aussi: amour, maternité ou paternité, engagement social, accompagnement et service d'autrui dans différents rôles...

À la limite quelqu'un pourrait ne pas se souvenir d'avoir fait des expériences intérieures intenses, et avoir néanmoins accédé à une solidité d'être, à une sagesse et une fécondité qui n'auraient rien à envier à des personnes qui auraient vécu de telles expériences.

## DOIT-ON RECHERCHER LES EXPÉRIENCES INTENSES?

Le sociologue Andrew Greeley estime pour sa part que l'absence ou la rareté de l'expérience intérieure intense résulte d'un mélange d'hérédité, de facteurs reliés à l'éducation et de choix personnels concernant son style de vie. Il croit de plus que dans l'état actuel de nos connaissances, il n'est pas possible de départager ces facteurs pour évaluer la part de pouvoir personnel dont chacun pourrait disposer pour accroître ses chances de vivre de telles expériences.

Il écrit: «Il y a des gens qui semblent être des mystiques 'naturels' alors que d'autres, dont moi-même, j'en ai
bien peur, sont 'naturellement' très non-mystiques[4]». Le
chercheur américain se montre par la suite réservé quant à
la question de savoir si l'on doit chercher à devenir un mystique.

Bien qu'ayant des intérêts et une sympathie très nets
pour le mysticisme, l'auteur se montre en effet un peu ambivalent face à cette question, déclarant par exemple: «Je ne
dirais pas que je souhaite devenir mystique; c'est finalement
un don, et je fonctionne suffisamment bien avec mon propre
don terre-à-terre, sans la turbulence de l'extase et du ravissement[5]».

Affichant son scepticisme face à ceux qui veulent à tout
prix vivre des expériences intérieures intenses, le sociologue de Chicago conclut en disant que la réflexion, la solitude et la contemplation sont des activités très appropriées en
elles-mêmes, qu'elles débouchent ou non sur une expérience intense, laquelle demeure une façon parmi d'autres de
saisir la signification du réel[6].

## LA POSITION DU NOUVEAU TESTAMENT

En explicitant le point de vue d'un théologien, j'ai écrit
à la page 85 que «l'expérience intérieure intense n'est pas
le tout ni même l'essentiel de la foi chrétienne». Et de fait,
cette position est défendue par chacun des principaux auteurs du Nouveau Testament. Chacun de ces auteurs, en
effet, relativise la valeur de l'expérience de type mystique au
profit de l'intervention concrète en faveur de quiconque est
dans le besoin. Voici quelques textes.

*Matthieu 25, 27* met en scène des personnes qui n'ont
jamais eu conscience d'être engagées dans une expérience
religieuse («Seigneur, quand nous est-il arrivé de te
voir...?»), mais qui sont néanmoins déclarées «justes» à
cause de leur pratique sociale.

*I Jean 4, 20:* «Celui qui n'aime pas son frère, qu'il voit, ne saurait aimer le Dieu qu'il ne voit pas.» Si quelqu'un n'est pas sensibilisé aux besoins d'autrui, on est en droit de douter de la qualité de ses expériences intérieures...

*I Corinthiens 13, 2:* «Quand j'aurais la plénitude de la foi, si je n'ai pas l'amour, je ne suis rien». La ferveur religieuse est stérile lorsqu'elle cohabite avec l'insensibilité sociale...

Antérieurement à ces textes, le courant prophétique qui traverse la Bible de part en part donne déjà clairement la priorité à la pratique sociale sur la pratique religieuse. Le *Livre d'Isaïe* s'ouvre pratiquement sur cette déclaration attribuée à Dieu: «Cessez de m'apporter des offrandes inutiles. (...) Vous avez beau multiplier les prières, moi, je n'écoute pas. (...) Apprenez à faire le bien, recherchez le droit, secourez l'opprimé...» (*I, 13-17*)

Pour quiconque se situe en référence à la tradition biblique, ces textes sont encourageants, car si l'on n'a pas de prise directe sur ses expériences intérieures, on en a une en revanche sur sa pratique sociale! Et si l'apprentissage de la conscience mystique apparaît comme une entreprise trop longue ou trop ardue, la Bible en propose de plus accessibles: «Apprenez à faire le bien, recherchez le droit, secourez l'opprimé...»

Mais il y a quelque chose à la fois de plus troublant pour les chrétiens traditionnels et de plus réconfortant pour ceux qui ne vivent pas d'expérience intérieure intense. Il s'agit d'un phénomène qu'on peut observer dans les trois Évangiles synoptiques (*Matthieu, Marc et Luc*), qui sont beaucoup plus près du Jésus historique que l'*Évangile de Jean.* Pour les Évangiles synoptiques, le fait d'avoir une expérience affective-cognitive de Dieu apparaît beaucoup moins important qu'on est porté à le penser à prime abord[7].

En effet, l'expression «amour de Dieu» n'apparaît que deux fois dans ces Évangiles, et dans l'un de ces cas (*Luc 11, 42*), il s'agit d'une addition que le rédacteur de l'*Évangile de Luc* a faite au texte qu'il a emprunté à l'*Évangile de Matthieu*, lequel ne fait pas mention de l'amour de Dieu (*Matthieu 23, 23*).

Il reste le passage unique relatif au double commandement: «Tu aimeras le Seigneur ton Dieu (...) Tu aimeras ton prochain comme toi-même.» (*Marc 12, 30-31* et parallèles: *Mt 22, 34-40* et *Lc 10, 25-28*). Les Évangiles de Matthieu, Marc et Luc totalisent ensemble soixante-huit chapitres, dans lesquels on ne rencontre finalement qu'une seule fois l'expression «aimer Dieu», alors que des douzaines et des douzaines d'autres passages renvoient à l'amour et au service d'autrui.

C'est ainsi que lorsque l'homme riche demande à Jésus ce qu'il faut faire pour avoir la vie éternelle, celui-ci laisse de côté la première partie du Décalogue relative au comportement face à Dieu, pour ne retenir que les commandements relatifs aux interactions avec autrui: «Ne tue pas, ne commets pas d'adultère, ne vole pas, ne porte pas de faux témoignage, ne fais pas de tort à personne, honore ton père et ta mère. (*Marc 10, 19*) ».

Ces faits ne prouvent aucunement que Jésus n'était pas conscient du mystère de Dieu et que cette dimension du réel n'était pas au coeur de sa vie. Mais ces faits nous montrent clairement que les Évangiles synoptiques visent à centrer leurs lecteurs sur le service concret d'autrui plutôt que sur l'expérience intérieure intense.

Au terme de ces réflexions, s'il y a une conclusion que l'on peut tirer en toute sécurité, c'est que les Évangiles synoptiques ne créent pas de catégorie privilégiée pour ceux qui vivent des expériences intérieures intenses! Les chemins empruntés par la croissance humaine demeurent mystérieux, et l'essentiel semble bien de ne pas cesser d'être un voyageur et de ne pas ignorer ceux qu'on a fait tomber au bord du chemin.

1. LEGAUT, M., *L'homme à la recherche de son humanité,* Paris, Aubier, 1971, pp. 151-157.
2. LEGAUT, *L'homme...,* p. 166.
3. LEGAUT, *L'homme...,* pp. 272-273.
4. GREELEY, A., *Ecstasy — A Way of Knowing,* Englewood Cliffs, New Jersey, Prentice-Hall, 1974, p. 67.
5. GREELEY, *Ecstasy...,* p. 83.
6. GREELEY, *Ecstasy...,* pp. 124-125.
7. Je m'inspire directement de SOBRINO, J., *Christology at the crossroads,* New York, Orbis, 1978 (c. 1976), p. 169 ss.

# Liste des auteurs cités

ALLPORT, G., *The Nature of Prejudice,* Abridged Edition, New York, Doubleday and Company, 1958, (c. 1954).

ALLPORT, G., Traits revisited, *American Psychologist,* 21(1), 1966.

ANCELET-HUSTACHE, J., *Master Eckhart and the Rhineland Mystics,* New York, Torchbooks, 1957.

BAEZ, J., *Le lever du jour,* Stock, 1968, (c. 1966).

BARRETT, C.K., *A Commentary on the First Epistle to the Corinthians,* London, Adam and Charles Black, 1968.

BONAVENTURE, *Itinéraire de l'esprit vers Dieu,* Introduction, traduction et notes par Kensy Duméry, Paris, Vrin, 1960.

BOUYER, L., *Introduction à la vie spirituelle,* Paris, Desclée, 1960.

BUCKE, R., From self to cosmic consciousness, 1901, dans WHITE, J. (ed.), *The Highest State of Consciousness,* Garden City, New York, Doubleday, 1972.

BULTMANN, R., *Theology of the New Testament,* vol. I, New York, Charles Scribner's Sons, 1951.

CRANFIELD, C., *A Critical and Exegetical Commentary of the Epistle to the Romans,* Edinburgh, T. and T. Clark Ltd., 1975.

DODD, C.H., *The Epistle of Paul to the Romans,* London, Fontana Books, 1959 (c. 1932).

DOLLARD, J., MILLER, N., *Personality and Psychotherapy,* New York, McGraw-Hill, 1950.

DURCKHEIM, K.G., *La percée de l'être ou les étapes de la maturité,* Paris, Le Courrier du Livre, 1971 (c. 1954).

FOX, M., Meister Eckhart and Karl Marx: The Mystic as Political Theologian, dans WOODS, R. (ed.), *Understanding Mysticism,* New York, Doubleday and Company, 1980.

FOX, M., *Breakthrough: Meister Eckhart's Creation Spirituality in New Translation,* New York, Doubleday and Company, 1980.

FREUD, S., *Psychopathologie de la vie quotidienne,* Paris, Petite Bibliothèque Payot, c. 1901.

FROMM, E., *Psychanalyse et religion,* Paris, Editions de l'Épi, 1968 (c. 1950).

FROMM, E., *Société aliénée et société saine,* Paris, Le Courrier du Livre, c. 1956.

FROMM, E., *The Heart of Man, Its Genius for Good and Evil,* New York, Harper and Row, 1964.

GALILEA, S., La libération en tant que rencontre de la politique et de la contemplation, *Concilium,* 96, 1974.

GEERTZ, C., Religion as a cultural system, BANTON (ed.), *Anthropological Approaches to the Study of Religion,* New York, Frederik A. Praeger, 1966.

GEERTZ, C., *Islam Observed,* New Haven, Yale University Press, 1969.

GREELEY, A., *Ecstasy — A Way of Knowing,* Englewood Cliffs, New Jersey, Prentice-Hall, 1974.

GREELEY, A., *The Sociology of the Paranormal: A Reconnaissance,* Beverley Hills/London, Sage, 1975.

GROSHEIDE, F.W., *Commentary on the First Epistle to the Corinthians,* Grand Rapids, Michigan, Eerdmans, 1968 (c. 1953).

GUTTIEREZ, G., *A theology of liberation,* New York, Orbis Books, 1973.

HAPPOLD, F.C., *Mysticism, A Study and an Anthology,* Penguin Books, 1970.

HAY, D., MORISY, A., Reports of Ecstatic, Paranormal, or Religious Experience in Great-Britain and the United States — A Comparison of Trends, Journal for the Scientific Study of Religion 17(3), 1978.

HAY, D., Religious Experience Amongst a Group of Post-Graduate Students — A Qualitative Study, *Journal for the Scientific Study of Religion,* 18(2), 1979.

HETU, J.-L., *Croissance humaine et instinct spirituel — Une réflexion sur la croissance humaine à partir de la psychologie existentialiste et de la tradition judéo-chrétienne,* Montréal, Leméac, 1980.

HETU, J.-L., *Le hibou évangélique, L'influence de Jésus sur ses disciples d'aujourd'hui,* Montréal, Fides, 1980.

HOCKING, W.E., Mysticism as Seen through its Psychology, dans WOODS, R., (ed.), *Understanding Mysticism,* New York, Doubleday and Company, 1980.

HOOD, R., Religious Orientation and the Report of Religious Experience, *Journal for the Scientific Study of Religion,* 9(4), 1970.

HOOD, R., Religious Orientation and the Experience of Transcendance, *Journal for the Scientific Study of Religion,* 12, 1973.

HUNTLEY, H.H., *The Faith of the Physicist.*

JAMES, W., *The Varieties of Religious Experience,* New York, Collier Books, 1961 (c. 1902).

JEREMIAS, J., *Le message central du Nouveau Testament,* Paris, Cerf, 1976 (c. 1966).

KASEMANN, E., *Commentary on Romans,* Grand Rapids, Michigan, SCM Press, 1980.

KAUFMANN, W., *Critique of Religion and Philosophy,* New York, Double-day and Company, 1961.

KNOWLES, D., What is Mysticism, dans WOODS, R. (ed.), *Understanding Mysticism,* New York, Doubleday and Company, 1980.

LECRON, L.M., *L'auto-hypnose, Sa technique et son utilisation dans la vie quotidienne,* Montréal, Éditions du Jour, 1973 (c. 1964).

LEGAUT, M., *L'homme à la recherche de son humanité,* Paris Aubier, 1971.

LUCKMAN, T., *The Invisible Religion,* New York, MacMillan, 1967.

MAITRE ECKHART, *Les Traités,* traduction et introduction de Jeanne Ancelet-Hustache, Paris, Seuil, 1971.

MASLOW, A., *Motivation and Personality,* Second Edition, New York, Harper and Row, 1970 (c. 1954).

MASLOW, A., *Toward a Psychology of Being,* Second Edition, Princeton, New Jersey, Van Nostrand, 1968, (c. 1962).

MASLOW, A., *Religions, Values and Peak-Experiences,* Penguin Books, 1974 (c. 1964).

MASLOW, A., *The Farther Reaches of Human Nature,* Penguin Books, 1976 (c. 1971).

MERTON, T., Marxism and Monastic Perspectives, dans MOFFIT, J., (ed.), *A New Character for Monasticism,* Notre Dame, 1970.

MOODY, R., *Life After Life,* Bantam Books, 1976 (c. 1975).

MORRIS, L., *The First Epistle of St-Paul to the Corinthians,* Grand Rapids, Michigan, Eerdmans, 1966 (c. 1958).

MOUROUX, J., *L'expérience chrétienne,* Paris, Aubier, 1952.

ORR, W., WALTER, J.A., *First Corinthians — A New Translation,* New York, Doubleday and Company, 1976.

OVERALL, C., The nature of mystical experience, *Religious Studies,* 18, 1982.

PAOLI, A., *Freedom to be free,* New York, Orbis, 1973.

RUYSBROECK, J.V., *Oeuvres,* Traduction par les Bénédictins de St-Paul de Wisques, Bruxelles, Vromant et Compagnie, 1920, Vol. 3.

SCHNEIDERMAN, L., Psychological Notes on the Nature of the Mystical Experience, *Journal for the Scientific Study of Religion,* 6 (1), 1967.

SOBRINO, J., *Christology at the crossroads,* New York, Orbis, 1978 (c. 1976).

TANQUEREY, A., *Précis de théologie ascétique et mystique,* Tournai, Desclée, Dixième édition, c. 1923.

THOMAS D'AQUIN, *Somme théologique,* IIa IIae.

THOMAS, E., COOPER, P., Measurement and Incidence of Mystical Experiences: An Exploratory Study, *Journal for the Scientific Study of Religion.* 17 (4), 1978.

THOMAS E., COOPER, P., Incidence and psychological correlates of intense spiritual experiences, *The Journal of Transpersonal Psychology,* 12 (1), 1980.

UNDERHILL, E., *Mysticism, A Study in the nature and development of Man's spiritual consciousness,* New York, New American Library, 1955 (c. 1910).

UNDERHILL, E., The Essentials of Mysticism, 1960, reproduit dans WOODS, R. (ed.), *Understanding Mysticism,* New York, Doubleday and Company, 1980.

WUTHNOW, R., Peak Experiences: Some Empirical Tests, *Journal of Humanistic Psychology,* 18 (3), 1978.

# Table des matières

Lithographié au Canada par
ATELIERS DES SOURDS MONTRÉAL (1978) Inc
85  rue DeCastelnau ouest  Montréal H2R 2W3